VERS JÉRUSALEM

La Bonne Nouvelle de la Résurrection, « Lire la Bible », 1984 (contribution).

Témoins de la parole. Maximilien Kolbe. Thérèse de l'Enfant-Jésus. Charles de Foucauld. Simone Weil. Georges La Pira. Deux fiancés, « Épiphanie », 1986.

Les Évêques d'Europe et la nouvelle évangélisation, « Documents des Églises – Public large », 1991 (préface).

Prêtres, quelques années après... Méditations sur le livre de Job, « Épiphanie », 1995.

Épreuve et persévérance. Méditations sur le livre de Job, « Épiphanie », 1993.

Les Églises d'Europe. L'engagement œcuménique, « Documents des Églises – Public spécialisé », 1993 (préface).

Et Dieu se fit vulnérable. Les récits de la passion, « Épiphanie », 1995.

Samuel. Méditations sur le premier livre de Samuel, « Épiphanie », 1995.

Mets de l'ordre dans ta vie. Méditations sur les « Exercices spirituels » de saint Ignace, « Épiphanie », 1996.

Libre pour aimer. Marie, Servante du Seigneur, modèle des croyants. Méditations, « Épiphanie », 1999.

Le Désir de Dieu. Prier les psaumes, 2004.

CARDINAL CARLO MARIA MARTINI

VERS JÉRUSALEM

Traduit de l'italien par

Jacques Mignon

LES ÉDITIONS DU CERF
www.editionsducerf.fr
PARIS

2004

Imprimé en France

© *Giangiacomo Feltrinelli Editore*, 2002
pour l'édition originale
(Via Andegari 6
20121 Milan, Italie)

© *Les Éditions du Cerf*, 2004
pour la traduction française
www.editionsducerf.fr
(29, boulevard La Tour-Maubourg
75340 Paris Cedex 07)

ISBN 2-204-07472-1

Préface

Percevoir avec force, un beau jour de son existence, le besoin de se mettre en route vers Jérusalem, de choisir cette ville pour y vivre et en faire la terre où l'on reposera, ce n'est pas une expérience commune. Particulièrement pour un non-juif. Pour un chrétien, c'est un fait parfaitement inhabituel. Mais lorsque cette expérience a l'intensité que l'on décèle dans les paroles de Carlo Maria Martini quand il l'évoque, elle est alors capable de susciter des résonances profondes chez les gens les plus divers, au-delà des frontières confessionnelles, chez laïcs et religieux, chrétiens et non-chrétiens. Il semble presque que prennent chair les mots du psaume qui fait de Jérusalem la patrie de tous les peuples : « Mais de Sion l'on dira : tout homme y est né » (87, 5). La chose mérite attention. C'est pourquoi, au terme de son épiscopat à Milan, il m'est apparu culturellement et spirituellement significatif de recueillir en une même publication quelques-unes des interventions de Martini qui nous livrent au mieux les aspects de son itinéraire vers Jérusalem.

La Jérusalem *vers laquelle Martini dirige ses pas avec détermination est la Jérusalem terrestre, contemporaine, lourde de mystères et de contradictions, toujours plus disputée et ensanglantée, marquée par des passions opposées et déchirée par des conflits violents. Ce n'est pas simplement la ville des « lieux saints », objet de pieux pèlerinages. Encore moins une capitale stratégique du Proche-Orient, centre d'intérêts culturels ou diplomatiques. Il ne faut pas la confondre non plus avec la nouvelle Jérusalem descendue des cieux, dont parle l'Apocalypse : dans la vision chrétienne de la foi, elle n'en est certes pas séparée, mais ne s'y substitue pas. Riche d'histoire et de prophétie, de symboles religieux et de cultes, elle est en revanche ville sainte pour les trois religions monothéistes. Elle est en tout cas autre chose qu'une cité de pierres, de murs et de monuments, une ville de personnes vivantes, de peuples, de communautés religieuses et de familles, durement éprouvés par la souffrance et blessés dans leur espérance. C'est vers cette Jérusalem-là et sa réalité tragique et complexe qu'un cardinal, allant presque jusqu'à se dépouiller de ses insignes ecclésiastiques, a choisi de se mettre en route.*

Vers : la préposition s'impose. Avant tout parce que l'itinéraire intérieur vers cette ville caractérise un nombre important d'années de la vie de Martini, dans un quasi-crescendo qui en est venu à marquer tout son ministère épiscopal. Il y a aussi un autre motif. Au terme de son service pastoral à Milan, il se rend à Jérusalem seulement pour se consacrer, dans le silence, à la prière et à la poursuite des études bibliques de critique textuelle qu'il dut interrompre lorsqu'il fut nommé évêque. Il s'y rend non pour une présence stable, mais en assumant la condition du pèlerin : certes pas celle du touriste pieux, mais celle, précaire et itinérante, du pèlerinage vers Jérusalem au sens antique et authentique que comprend ce terme dans la tradition juive et chrétienne.

Où puise-t-il la force avec laquelle, nonobstant obstacles et difficultés, il poursuit son objectif ? Qu'est-ce qui motive ce choix mûri et vécu avec une douce obstination et une immuable fermeté ? Tenter de répondre à ces questions, dans une introduction à la lecture des interventions ici rassemblées, voilà ce que j'ai précisément voulu éviter. C'est là la tâche du lecteur. La perspective de sens qui ressort des paroles de Martini est en effet si riche que toute tentative herméneutique risque de se montrer réductrice. Qui pourrait écrire à sa place une introduction à ce volume ? Lui-même d'ailleurs, quand on lui demande : « Pourquoi voulez-vous aller à Jérusalem ? », répond : « Je n'en sais rien. » Mais dans cette ignorance du pourquoi, on discerne l'humble et intime conscience d'être

« *mû intérieurement par l'Esprit du Seigneur* ». *C'est l'esprit de ce Jésus de Nazareth qui, selon le récit évangélique de Luc, au début de son grand voyage vers Jérusalem, s'inscrivit fermement dans sa décision :* « firmavit faciem suam. » *Dans ce passage, comme il l'écrivait dans sa* « Lettre de présentation au diocèse » *du quarante-septième synode ambrosien, Martini voit transparaître le visage de ce Jésus qui* « *se tourne résolument vers l'accomplissement du destin de Serviteur souffrant du Seigneur [...]. C'est le visage de l'humble, qui accepte d'être livré à la mort par amour pour nous* ». *L'archevêque Carlo Maria Martini a conduit sa vie et celle de l'Église confiée à son ministère en fixant son regard sur le visage de Jésus montant vers Jérusalem. En effet, l'Église aussi doit se laisser conduire par l'Esprit et s'interroger sur sa propre* sequela *du Seigneur en marche vers Jérusalem.*

L'évêque précède la communauté qu'il est appelé à guider. Il la précède avec la Parole de Dieu, lumière pour ses pas. Mais il la précède aussi là où elle ne sait ou ne peut encore atteindre. En ce sens, quand il choisit d'aller vers ce que, dans une lettre intitulée « Quel évêque ? », *il définit comme* « la ville de l'offrande », *Martini n'abandonne pas son ministère pastoral au service de l'Église de Dieu, mais le porte à son plein accomplissement. Il précède l'Église encore hésitante à entrer dans l'expérience radicale de l'intercession, c'est-à-dire à se situer au centre d'un conflit et – comme il l'exprime avec force dans* Un cri d'intercession – *en posant une main sur l'épaule du premier et l'autre sur l'épaule du second des deux adversaires. Il avance seul, mais il sait qu'il n'est pas seul. Il va à Jérusalem* « enchaîné par l'Esprit », *comme disait l'apôtre Paul, dont Martini dit partager les sentiments. Lui aussi s'y rend sans savoir ce qui l'attend.* « Celui qui va à Jérusalem ne tient pas compte de ce qui peut arriver mais veut aller jusqu'au bout de sa course, il veut rendre témoignage à la grâce de Dieu et sait que quiconque perd sa vie la trouvera... » : *voilà ce qu'il disait, le 18 juin 2002, à Éphèse, dans l'un de ses discours d'adieu les plus significatifs à la communauté diocésaine.*

Chronologiquement le dernier, ce discours est ici publié en tête, comme une sorte d'introduction au volume.

Les autres interventions, réunies par Elena Bolognesi, ont été regroupées en quatre unités thématiques. La première présente le chemin vers Jérusalem en tant que pèlerinage aux racines de la foi. La racine de la foi des chrétiens est en effet juive même si, au cours des siècles, la chrétienté l'a bien oublié. Dans la deuxième, on évoque l'ineffable mystère de Jérusalem, entre histoire et prophétie, que le langage symbolique du message biblique lu tout au long de l'histoire recrée et enrichit sans cesse de sens. Martini s'est occupé des relations judéo-chrétiennes en tant que protagoniste au plan mondial : la troisième partie thématique atteste cette sensibilité qui est la sienne, et son engagement à faire pénétrer dans la conscience chrétienne des attitudes de conversion et d'amour pour le peuple juif, pour sa tradition et sa culture. Enfin, la dernière partie exprime l'espérance de paix pour Jérusalem et sa terre. La conviction est ici sous-jacente qu'il n'y aura pas de paix sur la planète tant qu'il n'y aura pas de paix à Jérusalem. Intercéder et s'engager pour la justice et la paix signifient donc ici travailler au bénéfice de toute l'humanité. De fait, il est difficile de trouver au monde une question plus complexe que celle du Proche-Orient, ou de crise plus embrouillée que celle qui oppose Israéliens et Palestiniens.

Au fil de ces quatre parties thématiques, chacun pourra saisir le sens de l'itinéraire de Martini vers Jérusalem, et comprendre qu'il n'était pas possible de le faire revenir sur sa décision de s'y rendre. Jadis, les chrétiens de Corinthe avaient tenté de faire renoncer Paul à son voyage vers Jérusalem, car ils prévoyaient qu'il y serait enchaîné et livré aux païens. Mais le livre des Actes des Apôtres nous dit qu'ils se rendirent finalement à sa détermination : « Je suis prêt, moi, non seulement à me laisser lier, mais encore à mourir à Jérusalem pour le nom du Seigneur Jésus » (21, 13). Dans le message que, président du Conseil des Églises chrétiennes de Milan, j'adressais le 9 juillet dernier au cardinal Carlo Maria Martini au nom des communautés ecclésiales appartenant à dix-huit confessions, *je m'étais référé à ce texte des Actes pour affirmer que les chrétiens de Milan eux aussi, quoique malheureux de son départ, sont certains de la force intérieure qui le meut. Je voudrais ajouter aujourd'hui que, grâce à la sensibilité de l'éditeur Feltrinelli, d'autres pourront partager cette certitude. Dans de larges secteurs de la société, avec lesquels l'archevêque Martini est entré dans une véritable communication, beaucoup trouveront confirmation de leur estime pour ce cardinal qui se fait pèlerin et, avec lui, se laisseront peut-être fasciner par sa Jérusalem, qui est aussi la nôtre et celle de tous.*

Milan, 8 septembre 2002,

GIANFRANCO BOTTONI.

Vers Jérusalem

J'aimerais résumer tout mon ministère de plus de vingt ans à Milan par ce vœu : « Que votre joie soit parfaite. » Un souhait, une parole toute simple, mais dont nous avons peur. Il nous semble que la joie parfaite n'est pas viable, car il y a toujours tant de choses dont il faut se soucier, tant de situations fausses, les guerres, les souffrances : avec toutes ces bonnes raisons nous nous privons de la joie parfaite. Ma joie parfaite ne signifie pas ne pas partager la préoccupation de l'injustice, de la faim dans le monde ; c'est une joie plus profonde, dont nous nous dispensons trop facilement en pensant qu'elle n'est pas pour nous, qu'elle jure dans le paysage des lamentations propres à notre société occidentale. Si nous ouvrons les journaux, nous constatons que chaque jour comprend sa polémique, son conflit, une rixe, un soupçon, des coulisses entrevues, et notre joie se voile de tristesse, commence à sentir le moisi.

En réalité, la joie doit être parfaite et je vous souhaite de la découvrir comme une joie qui ne dédaigne pas de se pencher sur ses propres souffrances et celles d'autrui, parce que nous en avons découvert le secret, celui d'avoir touché le Verbe de vie qui guérit toute expérience de souffrance, de maladie, de pauvreté, d'injustice, de mort.

Au milieu des ruines d'Éphèse, on comprend mieux le sens de la lettre de Paul, adressée à une communauté qui vivait dans une ville riche, opulente, surchargée de monuments extraordinaires, qui vivait dans un monde païen plein de cruauté et de superstition – pensons au culte de la déesse Artémis –, dans une cité où le paganisme se montrait vigoureux, invincible, glorieux, et où la petite communauté chrétienne apparaissait comme un groupe minuscule, insignifiant.

Pourtant Paul, écrivant à cette petite communauté chrétienne d'Éphèse, présente une grande vision du dessein de Dieu sur le monde, un regard cosmique sur l'avenir de l'humanité. Sa lettre annonce un bouleversement de l'histoire dont le centre est le Christ, et qui se révélera victorieusement au-delà de toute résistance humaine : tel est le dessein de récapituler toutes choses en Christ.

En écoutant ce passage, deux questions sont nées, pour moi et pour vous.

Sommes-nous vraiment conscients d'être privilégiés parce que nous connaissons le dessein d'amour du Père « qui nous a bénis, aux cieux, dans le Christ, élus en lui dès avant la fondation du monde, déterminant d'avance que nous serions pour lui des fils adoptifs » ? Comment vivons-nous cette conscience d'être choisis et aimés ?

Deuxième question : face à cette vision extraordinairement positive et grandiose de toute l'histoire, quelle est notre vision du monde ? Est-ce une vision pleine de lamentations, de craintes, de récriminations, de sombres prévisions qui nous écrasent, ou bien est-ce une vision positive dans laquelle nous savons lire le mystère de Dieu qui se manifeste de façon victorieuse, encore que dans le silence et l'obscurité ?

La foi qui est attendue de nous est de quelque manière moindre que celle exigée de la petite communauté d'Éphèse écrasée par l'opulence, le paganisme, les manifestations de la force de Rome et de la sagesse païenne. Nous avons en effet derrière nous deux mille ans d'histoire chrétienne glorieuse. Il nous est cependant demandé ce brin de foi, pas plus gros qu'un grain de sénevé, capable de déplacer les montagnes. Et nous nous interrogeons là-dessus, en un lieu où l'on constate qu'est tombée en ruine non seulement une civilisation païenne, orgueilleuse d'elle-même et qui s'estimait invincible, mais aussi une civilisation chrétienne qui a produit au cours des siècles de grands et magnifiques ouvrages comme la basilique de saint Jean et la basilique où se tint le concile de 413.

Je voudrais citer une prophétie d'un grand mystique du siècle dernier, Louis Massignon. Spécialiste de l'Islam, profond connaisseur des évangiles, il disait à propos d'Éphèse : « Éphèse doit devenir, avant l'assemblée finale à Jérusalem, pour tous les groupes chrétiens et musulmans, le lieu de la réconciliation en notre mère, Marie ; en attendant qu'Israël, la reconnaissant enfin comme la gloire de Sion, réunisse cette humanité dans la communion tant désirée. » Prions intensément pour la communion des peuples et des cœurs.

Au livre des Actes des Apôtres, il est une page très émouvante (Ac 20, 17-38) qui conclut le récit des activités de Paul en Asie. C'est une page d'adieu, de recommandations ultimes.

Deux mille ans plus tard, nous ressentons très présente la force des mots de Paul. C'est un long discours que nous n'avons pas le temps d'analyser à fond.

Il contient certaines allusions au *passé* : « Vous savez de quelle façon, depuis le premier jour où j'ai mis le pied en Asie, je n'ai cessé de me comporter avec vous... » Et Paul, avec bonne conscience, peut affirmer qu'il a servi le Seigneur en toute humilité, qu'il ne s'est jamais dérobé en rien de ce qui pouvait leur être utile.

Chacun de nous entend cette parole comme une invite à un examen de conscience. Personnellement, je ne puis répéter avec autant de certitude ce que disait l'apôtre, je reconnais plutôt ma fragilité, mon inadéquation. C'est pourquoi je me confie au Seigneur miséricordieux à qui Paul s'en est remis, car il nous a rachetés et sauvés par son sang de toute inadéquation et de toute fragilité. Avec Paul, je repense donc à mes vingt-deux années de service épiscopal dans un sentiment d'humilité, de confiance en Dieu et de reconnaissance envers Lui et envers vous.

Après le regard sur le passé, Paul parle du *présent* et je ressens ses paroles comme tout à fait vraies pour moi : « Et maintenant, enchaîné par l'Esprit, je me rends à Jérusalem, sans savoir ce qui m'y adviendra. »

On m'a bien souvent demandé durant ces derniers mois : Pourquoi voulez-vous aller à Jérusalem quand votre ministère à Milan aura pris fin ? » Et je répondais : « Je n'en sais rien. »

Je pars « enchaîné par l'Esprit », comme disait Paul, mû intérieurement par l'Esprit du Seigneur. Il me semble donc participer très fortement à ses sentiments et les éprouver dans mon cœur.

Et je pars sans savoir ce qui m'adviendra là-bas. Nul ne sait ce qui peut arriver à Jérusalem, où tant de choses douloureuses et déchirantes se passent.

Paul parle de tribulations, de chaînes, mais c'est pire dans la Jérusalem d'aujourd'hui, lieu de tragédies, de sang, d'horreurs. Nous avons eu ces dernières heures l'information de la mort d'une vingtaine d'étudiants dans un attentat terroriste contre un autobus. C'est peut-être pour cela que l'Esprit nous pousse là, pour partager le sort de ces gens, pour prier avec eux et pour eux.

Comme le dit encore Paul : « Je n'attache aucun prix à ma propre vie, pourvu que je mène à bonne fin ma course et le ministère que j'ai reçu du Seigneur Jésus : rendre témoignage à l'Évangile de la grâce de Dieu. » Celui qui va à Jérusalem ne tient pas compte de ce qui peut lui arriver mais veut aller jusqu'au bout de sa course, il veut rendre témoignage à la grâce de Dieu et sait que quiconque perd sa vie la trouvera ; il se fie donc aux paroles de Jésus dans l'Évangile.

Paul, après avoir parlé de lui-même et de son voyage imminent à Jérusalem, évoque le *futur* en termes de souffrance : « Et maintenant voici que, je le sais, vous ne reverrez plus mon visage, vous tous au milieu de qui j'ai passé en proclamant le Royaume. » Nous percevons toute la nostalgie, la souffrance et le déchirement exprimés par ces mots, auxquels s'ajoute une nouvelle déclaration d'innocence et de loyauté. Des mots que nous éprouvons nôtres parce que le Seigneur nous les fait vivre et pénétrer dans la foi : dans la foi nous sommes unis et nous le serons toujours.

Je voudrais en outre adresser avant tout aux prêtres ces exhortations de l'apôtre : « Soyez attentifs à vous-mêmes, et à tout le troupeau dont l'Esprit-Saint vous a établis gardiens pour paître l'Église de Dieu », comme pasteurs, ceux qui doivent regarder d'en haut et guider la marche de l'Église. Veillez et soyez vigilants. Puis Paul fait une dernière prière, peut-être la partie la plus importante du passage : « Je vous confie à Dieu et à la Parole de sa grâce, qui a le pouvoir de bâtir l'édifice et de procurer l'héritage parmi tous les sanctifiés. » Après s'être tant dépensé pour la Parole de Dieu, il serait naturel qu'il la confie aux prêtres en disant : « Je vous confie cette Parole de Dieu qui m'a été si chère, gardez-la, répétez-la, enseignez-la à vos enfants, faites-la résonner dans vos assemblées. » En réalité, il en dit beaucoup plus : non pas : « je vous confie la Parole », mais : « je vous confie à la Parole ». Parce que la Parole est puissante, qu'elle nous a créés, nous appelle, nous forme, nous façonne et nous guide chaque jour.

Donc je vous confie au Seigneur, à la Parole de sa grâce, à son pouvoir. Je lui confie toutes les générations, surtout les jeunes, toutes les vocations en train de naître, tous les cœurs dans lesquels le Seigneur parle silencieusement en appelant au don de soi. Je confie à Dieu toutes les intentions de malades, de souffrants, de parents, d'amis, d'enfants, de frères, que vous portez en ce moment dans votre cœur.

Et rappelons-nous enfin, comme l'exhorte Paul, de secourir les faibles, de prendre soin de ceux qui souffrent plus que nous, de ceux qui sont dans les pires difficultés : c'est ainsi seulement que l'on accomplit le précepte de la charité. Rappelons-nous de le faire toujours gratuitement et avec joie parce que, selon la parole de Jésus – l'une des plus belles, rapportée par Paul et non par les évangiles – : « Il y a plus de joie à donner qu'à recevoir ! »

La joie parfaite se vit en donnant plus encore qu'en recevant. C'est la joie que nous avons échangée dans la grâce de l'Esprit durant ces vingt-deux années : vous m'avez tant donné, j'ai cherché à tellement vous donner, même si c'est beaucoup moins que ce que j'ai reçu ; mais nous avons tous eu la joie du donner et du recevoir. C'est la joie qui ne nous sera jamais ôtée car elle est une anticipation de la vie éternelle.

Nous pouvons donc prier pour nous, pour les souffrances du monde, pour Jérusalem, pour la paix entre les peuples juif et palestinien, pour la paix entre tous les peuples qui sont en conflit ou qui risquent d'entrer en conflit. Nous pouvons prier avec la certitude que Marie porte au ciel notre prière. Elle qui a été exaltée ici même, au concile d'Éphèse, en tant que Mère de Dieu, veille encore sur nous, recueille nos prières et les présente au Père.

Éphèse, 18 juin 2002,

CARLO MARIA MARTINI.

I

PÈLERIN AUX RACINES
DE LA FOI

De Ur à Jérusalem
peines et joies d'un évêque
en route vers la cité

Quelles sont les joies et les peines d'un évêque dans la grande ville ? Comment vit-il les malédictions et les bénédictions de la métropole ?

Cette question, si l'on veut une réponse non purement biographique ou anecdotique, implique pour un chrétien, pour un croyant, beaucoup d'autres choses que je tenterai d'exprimer au moins par allusions.

La peur dans la ville moderne.

La ville ne m'a jamais fait peur dans ses mécanismes et dans ses rythmes : je n'éprouve pas davantage cette peur-là aujourd'hui. Je suis né en ville, et pour moi dès l'enfance il était évident que la ville était là, comme un fait indiscutable et une donnée première (un peu comme pour l'enfant il y a les parents ou le grand frère ; c'est pour lui un fait normal et il ne pense même pas qu'il pourrait en aller autrement). La ville était donc là, avec ses bruits, son trafic, ses espaces restreints. Je ne m'apercevais même pas qu'il y eut un quelconque élément de perturbation : pour moi le bruit de ferraille du tram était aussi naturel que le chant des oiseaux pour un gamin né à la campagne. Les espaces me paraissaient immenses : le porche de la maison avait les dimensions d'une cathédrale, le jardinet où l'on jouait était à mes yeux comme un parc national, une petite cour arborée entre les maisons comme une forêt. L'enfant trouve tout naturel et tout immense, tout beau de quelque manière, car il dilate tout de ses rêves. Ne voit-on pas parfois dans les faubourgs de Kinshasa ou dans les favelas de São Paulo des enfants qui, avec deux roues fixées à une planchette, s'imaginent conduire une Mercedes et sont heureux ?

Je n'ai éprouvé la peur que beaucoup plus tard, surtout à Milan en tant qu'évêque, et j'en ai encore le souvenir de moments précis. Par exemple, un soir où nous revenions en voiture de je ne sais quelle réunion : j'étais probablement un peu fatigué et donc enclin à cette mauvaise humeur qu'on prend sans s'en apercevoir après une série d'engagements épuisants, quand on se laisse un peu aller et que l'esprit se relâche, mais qu'en même temps se lèvent les ombres.

Je me souviens que, assis dans l'auto, je voyais les maisons s'avancer sur moi, l'une après l'autre, et dans les maisons les appartements, avec au-dedans tous ces gens que l'on devinait derrière les rideaux, dans la lumière des fenêtres ; et dans chacune de ces maisons tous ces poids à porter : litiges, frustrations, problèmes, maladies, morts. Tout cela me pesait au point de m'écraser.

Je me sentais comme accablé, étouffé par cette multitude d'immeubles, de personnes, de problèmes ; je sentais remonter l'angoisse pour les meurtres du terrorisme, pour toutes les victimes de la criminalité et de la drogue, pour les désespérés, pour tous ceux qui, cette nuit-là, en avaient assez de vivre. Je sentais ce poids insupportable sans réussir à trouver un ordre, un sens, une façon de prendre en main une telle marée de problèmes. Et j'éprouvais un sentiment d'impuissance, comme si j'étais vaincu et accablé par un poids écrasant, qui se gaussait de moi.

On ne ressent souvent pas la peur face à un danger ou face à des urgences, même graves, si on les prend une par une ; la peur nous cueille et nous surprend quand on se trouve face à la ville, non dans ses éléments individuels, tels que nous les démontons chaque jour pour parvenir à agencer nos actions de façon efficace, mais face à la ville à l'état brut, massif, inattaquable. On se sent alors – en tout cas je me sentais ainsi – accablé, le souffle court, écrasé par quelque chose d'immensément plus grand que nous.

Je pense que saint Ambroise éprouva une telle peur, comme le raconte la légende, lorsqu'il s'enfuit dans la campagne vers Novare pour échapper à ceux qui voulaient le faire évêque. Et beaucoup d'autres évêques l'ont éprouvée, au point que le thème de la « fuite devant la responsabilité épiscopale » est presque un lieu commun de la littérature hagiographique.

Il me semble que cette peur-là est difficile à vaincre, car elle est comme la somme des malédictions de la ville : la peur de la ville comme d'une grande machine anonyme dont nous avons perdu les clés, d'un quelque chose d'imprévisible qui, comme le disaient déjà les explorateurs de la terre de Palestine, dévore ses habitants, ne se laisse attaquer ou égratigner d'aucun côté, à propos de quoi tout ce qu'on fait ou ce qu'on dit n'est tout au plus que souhaits, bonnes paroles, pieuses propositions et rien de plus.

C'est la peur que rien ne marche, qu'il n'y ait rien à faire, une peur qui s'appelle aussi frustration, impuissance, et qui engendre la solitude et la rage.

Je crois que la première chose honnête à faire est de reconnaître que cette peur existe. Quiconque regarde avec objectivité et d'une manière un peu approfondie les problèmes des gens les jugera au-dessus des forces humaines ; sans doute, en se faisant illusion ou en limitant son champ d'action à quelque segment ou cercle restreint, à quelque objectif partiel ou à moyen terme, on peut estimer agir efficacement pour dominer le colosse de la métropole. En réalité, le colosse continue de marcher et d'opérer pour son compte, avec ses lois intrinsèques, impitoyables, de quelque manière insurmontables.

La peur dans la cité biblique.

Je pense que cette peur est aussi celle des auteurs bibliques :
la première ville est attribuée à Caïn (Gn 4, 17), et elle est
fondée sur la peur et la défense contre la vendetta endémique.
C'est une ville dans le contexte de laquelle résonne ce cri de
l'arrière-petit-fils de Caïn, Lamek : « Oui, j'ai tué un homme
pour une blessure, un enfant pour une meurtrissure. Oui, Caïn
sera vengé sept fois mais Lamek, soixante-dix-sept fois »
(Gn 4, 23-24).

Les villes, dès la première, sont donc fondées sur la peur, et
elles se défendent en faisant peur, en s'imposant par la hauteur
de leurs murailles et la force de leurs garnisons.

Aux traits de violence de la première ville s'ajoute, dans la
Bible, la superbe de la deuxième, Babel (Gn 11, 1-9), qui veut
s'organiser de façon parfaite, en assignant également à Dieu sa
place précise au-dessus de la « ziggurat », la tour d'où l'on peut
veiller sur les grands canaux d'irrigation pour les sécuriser et
les protéger.

Mais c'est une précision qui oublie le primat de la vérité
des rapports, qui crée la première confusion désastreuse,
l'inertie bureaucratique et le premier chaos organisationnel de
l'histoire.

Une troisième ville fait peur : Sodome (Gn 19) commet le
péché du refus de l'hospitalité, l'exploitation de l'étranger de
passage. Quelle actualité dans l'histoire de Lot et de ses hôtes !

Une quatrième ville est mentionnée dans la Bible : Jéricho
(Jos 6), dont les murs seront détruits et qui sera refondée sur les
cadavres de deux garçons sacrifiés. Et les cités bibliques
suivantes, jusqu'à Tyr, Sidon, Ninive, Babylone, et enfin la
Babylone de l'Apocalypse, ne sont que la poursuite de ces
dynamiques, avec divers mélanges de l'une ou l'autre d'entre
elles.

La voie de la paix pour la cité.

Pourtant, il y a aussi dans l'Écriture une autre histoire de la cité, qui m'a permis jusqu'à ce jour de vivre dans l'espérance au milieu des malédictions, des souffrances, des croix et des poids de la ville.

Je vois un résumé de cette histoire dans le passage de la lettre aux Hébreux où il est question d'Abraham qui abandonne sa ville d'Ur des Chaldéens, puis de Harân, pour s'en aller vers un lieu inconnu : « il partit ne sachant où il allait [...]. C'est qu'il attendait la ville pourvue de fondations dont Dieu est l'architecte et le constructeur » (He 11, 8.10). Et peu après, parlant de la ville et de la patrie qu'Abraham avait quittées, en se déclarant « étranger et pèlerin sur la terre », l'auteur de la lettre commente : « Ceux qui parlent ainsi font voir clairement qu'ils sont à la recherche d'une patrie. Et s'ils avaient pensé à celle d'où ils étaient sortis, ils auraient eu le temps d'y retourner. Or, en fait, ils aspirent à une patrie meilleure, c'est-à-dire céleste. C'est pourquoi, Dieu n'a pas honte de s'appeler leur Dieu ; il leur a préparé, en effet, une ville... » (He 11, 13-16).

Certains pourront penser que je fuis les problèmes concrets pour me réfugier dans des solutions célestes. Mais Abraham était un homme avec les pieds sur terre, il faisait paître des bêtes nombreuses, il était « très riche en troupeaux, en argent et en or » (Gn 13, 2). Ce n'était donc pas un homme, comme on dit, étranger aux problèmes de ce monde. Il était plutôt le symbole vivant de cet amour pour la ville, qui naît de la conviction qu'elle n'est pas seulement celle du passé, ou celle que j'ai sous les pieds et dont je respire l'air pollué : elle se dresse devant moi, il est de mon devoir de l'édifier et en même temps je l'attends avec espérance, parce qu'elle est plus grande que tout ce que je puis prétendre faire de mes mains.

À partir de la sortie d'Abraham de sa ville natale, émerge donc dans la Bible une dynamique opposée à celle de la ville de Caïn, à celle de Babel, de Sodome et de Jéricho. Avec un dynamisme inscrit au cœur de l'histoire, et capable de la faire progresser, apparaît donc une autre cité, Jérusalem.

Le départ d'Abraham, de Ur vers une ville mystérieuse et inconnue, encore à édifier, exprime ce principe de nouveauté qui opère dans les villes de l'homme afin de les rendre moins invivables, moins conflictuelles, moins inhospitalières, et qui prend la figure de Jérusalem comme ville des songes messianiques, cette Jérusalem qui sera célébrée dans l'Apocalypse comme la cité-épouse, demeure de Dieu avec les hommes, où sera essuyée toute larme, où « de mort, il n'y en aura plus ; de pleur, de cri et de peine, il n'y en aura plus, car l'ancien monde s'en est allé » (Ap 21, 4).

C'est à partir de ce texte, si cher aux grands prophètes du deuxième millénaire, de Joachim de Flore à Giorgio La Pira, qu'apparaît clairement le principe biblique énoncé par Harvey Cox, selon lequel l'histoire humaine va vers une ville.

Ce dernier nous rappelait en effet que le chemin des hommes n'est pas décrit dans la Bible comme allant vers un « paradis », au sens ordinaire de « jardin », « jardin de délices », même si l'humanité vient de là. Le but du chemin des hommes n'est ni un jardin ni la campagne, aussi fertile et attrayante soit-elle, mais la ville. C'est la ville décrite dans l'Apocalypse, avec douze portes, longue et large de douze mille stades (plus de deux mille kilomètres) ; une ville, donc, où sont appelés à habiter tous les peuples de la terre.

Elle brille comme le cristal, de sorte que « les nations marcheront à sa lumière et les rois de la terre viendront lui porter leurs trésors » (Ap 21, 24-25). Une ville idéale, splendide, lumineuse, accueillante, ouverte, capable d'hospitalité, où se réalise enfin le rêve millénaire de l'humanité, le *shalom*, la paix.

Elle respire aussi, tout en étant une ville, l'air du jardin et de la campagne : elle a un fleuve, des arbres et des fruits : « au milieu de la place, de part et d'autre du fleuve, il y a des arbres de vie qui fructifient douze fois, une fois chaque mois ; et leurs feuilles peuvent guérir les païens » (Ap 22, 2).

La cité idéale, but du chemin des hommes, porte en elle le meilleur du paradis originaire, le fleuve d'eau vive et l'arbre de la vie ; mais toutefois, c'est une ville, un lieu où les hommes vivent en harmonie, dans un réseau de relations multiples et constructives.

C'est une vision qui peut paraître utopique, éthérée, abstraite. Mais c'est un avertissement qui nous rive à la ville. Notre voie, notre idéal n'est pas celui d'un week-end de fuite vers l'air pur des montagnes et des campagnes, vers la solitude et le silence, mais vers le fourmillement des hommes et des femmes rassemblés pour une grande fête.

L'antithèse de la cité biblique n'est pas la campagne, mais le désert qui dévore et détruit tout ; le choix est donc : ou le désert ou la ville. Pour traduire en termes profanes ce que j'ai tenté de dire jusqu'ici en termes bibliques, qui me sont plus familiers, je dirais que pour dépasser les malédictions et les peines de la ville et pour y lire la présence de nombreuses bénédictions, comme aussi de nombreuses joies véritables, il ne faut pas nécessairement avoir sous les yeux une cité idéale, mais au moins un idéal de cité. Une ville faite de relations humaines responsables et réciproques, qui sont devant nous comme un engagement éthique.

Alors la ville devient une occasion, voire une mine inépuisable de possibilités, de nouer des relations authentiques, soit par l'instrument du geste constructif ou propositionnel, soit – et sans doute plus encore – par le truchement du geste de l'acceptation, de l'hospitalité, de la réconciliation et donc du pardon.

C'est ainsi que les ferments de Babel, de Sodome et de Jéricho qui subsistent à l'intérieur des murs de Jérusalem sont sans cesse contrariés et réfrénés dans leur dynamisme violent, alors que s'affirme et se réaffirme sans cesse chaque jour le primat de cette vision qui fait de Jérusalem la ville du *shalom*.

Un *shalom* difficile, toujours à risques, souvent démenti par les faits. Jérusalem apparaît non comme la ville qui a déjà atteint un idéal vers lequel tous devraient tendre, mais comme le lieu où cet idéal est le plus mis en question, le plus difficile, le plus démenti par les faits, et donc où l'acharnement de l'espérance indomptable est signe et stimulation pour toutes les autres villes menacées par des conflits et des inimitiés.

La ville n'est donc pas le lieu à fuir à cause de ses tensions, où il faut habiter le moins possible, mais le lieu dans lequel il faut apprendre à vivre. Toute l'histoire de la Jérusalem biblique est une histoire du conflit entre le désert qui la menace et l'idéal de paix qui la meut et la soutient depuis trois mille ans pour qu'elle ne se lasse pas de rechercher le *shalom*, jusqu'au milieu de toutes les contradictions qui sembleraient démontrer l'impossibilité de la paix.

Comment pourrait-on esquisser l'idéal d'une ville concrète, qui va de Ur à Jérusalem au pas d'Abraham ?

J'ai dit que je n'entendais pas une ville idéale, mais un idéal de ville : une ville dans laquelle il y a des espaces pour l'action de l'Esprit qui s'oppose au levain, au ferment de Babylone, de Sodome et de Jéricho et conduit vers la Jérusalem que nous espérons.

Ces espaces sont de divers types. Avant tout, il y a des espaces de silence, jusqu'au cœur de la ville. Emblématique à cet égard est la cathédrale de Milan, bâtie comme une icône de la Jérusalem céleste, mais avec des piliers solidement plantés en terre, comme une invitation permanente à tourner vers le haut le cœur et l'esprit. Comme la cathédrale, il faudrait beaucoup de lieux propices au silence, à la réflexion, à l'écoute.

Après le silence et l'écoute, le dialogue. Nous voulons pour cela les places, les *agoras* où les gens puissent se retrouver pour se comprendre et échanger les dons intellectuels et moraux dont nul n'est privé.

En troisième lieu, nous y voulons les voies que l'on peut parcourir en tous sens, c'est-à-dire tous ces réseaux de relations qui se coagulent en amitiés et en accueils et qui, si elles sont authentiques et profondes, atteignent également des gens d'autres cultures, races et confessions religieuses. À ce sujet, je suis frappé de ce que le monde classique était déjà sensible à cet aspect et définissait avant tout la cité comme un lieu d'amitié. Platon établit une équivalence entre l'amitié et la concorde *(omonoia)* qui fait prospérer la cité. Et Aristote ose affirmer que « quand on est amis, il n'y a pas vraiment besoin de justice, alors que même si l'on est justes, on a besoin de l'amitié, et le point le plus élevé de la justice semble appartenir à la nature de l'amitié » (*Éthique à Nicomaque* VIII, 1, 1155a.).

Cela montre qu'espérer restaurer les rapports dans une ville sur le seul fondement de la justice, qui est pourtant l'une des vertus les plus hautes, est insuffisant, car il est un fondement de concorde humaine sous-jacent, qui soutient tous les efforts successifs pour tenir ensemble et donner à chacun son dû.

Quatrième lieu ou situation : l'intercession et l'hospitalité. J'unis les deux réalités, tout comme l'épisode d'Abraham les unit, lorsque le patriarche accueille les trois pèlerins mystérieux devant sa tente et intercède auprès d'eux – en fait auprès de Dieu –, pour que Sodome soit sauvée (voir Gn 18 et 19).

La Genèse relie la prière pour Sodome, qui dit à quel point est aimée une ville qui semble perdue, à la capacité d'accueillir des étrangers, parmi lesquels Dieu lui-même est reçu. Hospitalité envers Dieu et hospitalité envers l'étranger sont des réalités mystérieusement liées tout au long de l'Écriture, et elles sont l'aspect extérieur de cette intercession qui présente à Dieu avec amitié tous les peuples de la terre et se situe au milieu des adversaires pour les rendre moins hostiles et, si possible, en faire des amis.

On affirme ainsi un mystérieux rapport entre l'hospitalité envers l'étranger et l'action en faveur de la paix dans le monde.

Par les moyens indiqués ci-dessus, et beaucoup d'autres que nous pourrions rappeler, je ne veux pas dire que nous aurons une cité idéale, mais que nous serons en route vers une ville qui n'existe pas encore et que nous ouvrirons les yeux pour voir aussi, sous les apparences de Babylone, cette Jérusalem qui est déjà parmi nous et dont nous avons déjà eu des exemples concrets et significatifs.

Un évêque de l'Antiquité, Jean Chrysostome, qui avait beaucoup souffert des maux de sa ville, Constantinople, parlant de la tentation de fuite qui le saisissait parfois devant la lourdeur de sa tâche, écrivait : « S'il en est encore un à qui l'antique philosophie monte à la tête [il s'agit probablement en particulier de l'idéal néo-platonicien d'une contemplation solitaire], celui-là abandonne villes et lieux publics, cesse de vivre au milieu des hommes et de guider les autres, et s'en va dans les montagnes. Quel est le motif de son retrait ? Si vous le lui demandez, il s'invente un prétexte impardonnable : "Je m'en vais pour ne pas me perdre", dit-il, "pour ne pas faiblir dans la vertu". Eh bien, ne vaudrait-il pas mieux que tu deviennes moins fort mais que tu gagnes les autres plutôt que de rester sur la montagne à regarder d'un œil indifférent les frères loups qui se perdent ? » (1 Co 6, 4, dans Patrologie grecque 61, 53-54).

Nous courons tous le risque de nous perdre dans la ville : perte du calme, de la sérénité profonde du cœur, de la paix, de la santé et de la joie de vivre. Mais nous pouvons nous aider les uns les autres à cheminer vers un idéal de ville déjà présent pour qui ouvre les yeux, et où il fait bon vivre dans l'attente de la Jérusalem qui vient.

Mon chemin vers Jérusalem

Ma réflexion part de trois questions.

Comment se forme la conscience d'une racine ?

Comment s'affine le regard vers Jérusalem, ou mieux quels sont les événements par lesquels s'affine et se forme notre regard vers Jérusalem comme objectif final d'une marche ?

Quels événements particuliers ont favorisé des expériences de dialogue ?

En me posant ces questions je me suis senti poussé intérieurement à donner des réponses autobiographiques, tout en sachant à quel point ce genre de confession est délicat. Délicat parce qu'il est embarrassant de parler de soi, ou parce qu'il est difficile de trouver les mots justes pour exprimer des expériences profondes et qui engagent ; elles font pourtant partie de la conscience d'une racine, elles ont affiné le regard vers Jérusalem.

J'évoquerai quelques étapes personnelles cruciales de mon expérience, avec le désir d'inviter chacun à lire l'histoire de sa propre marche vers Jérusalem et vers la conscience d'une racine. Je voudrais commencer en citant le psaume 87 des fils de Coré :

> Sa fondation sur les montagnes saintes
> Yahvé la chérit,
> préférant les portes de Sion
> à toute demeure de Jacob.
> Il parle de toi pour ta gloire,
> cité de Dieu.

Ici naît la conscience de la primauté de Jérusalem, de sa nature de source, et de ce qu'elle est le but définitif d'un chemin.

> Je compte Rahab et Babylone
> parmi ceux qui me connaissent,
> voyez Tyr, la Philistie ou l'Éthiopie,
> un tel y est né.

Mais comment advient l'expérience « d'y être né » ? Le psaume poursuit :

> Mais de Sion l'on dira :
> « Tout homme y est né »
> et celui qui l'affermit, c'est le Très-Haut.
> Yahvé inscrit au registre les peuples :
> « Un tel y est né »,
> et les princes, comme les enfants.
> Tous font en toi leur demeure.
> [*Selon une autre traduction de ce dernier verset* :
> mais ils dansent et ils chantent :
> « Toutes mes sources sont en toi ! »]

Par trois fois est soulignée la conscience d'être né là. Mais comment cette conscience apparaît-elle, à travers quels événements ou rencontres ?

La rencontre de 1959 : expérience de vie et de mort.

Je me rappelle comme si c'était hier ma première rencontre avec Jérusalem, en 1959. Le territoire était sous le régime de l'armistice, en l'attente d'un traité de paix, mais les soldats avaient de part et d'autres leurs fusils pointés, avec au milieu le *no man's land*, zone où nul ne pouvait pénétrer sans danger. Je faisais avec d'autres mon premier voyage d'études au Proche-Orient, à la découverte des fouilles, des strates antiques, donc avec les yeux de l'archéologue, avec un regard un peu profane.

C'est peut-être grâce à ce contexte assez curieux, on pourrait dire scientifique, que deux expériences spirituelles profondes m'ont frappé.

En arrivant d'Amman à Jérusalem le soir du 12 juillet, je me rendis compte que le lendemain serait le septième anniversaire de ma première messe et, nonobstant l'heure tardive, je réussis à pouvoir célébrer, le matin suivant, l'eucharistie au Saint-Sépulcre.

Je me levai vers trois heures trente et marchai le long des petites rues désertes de la ville pour rejoindre la basilique. De cette messe, je me rappelle seulement que j'eus une sensation extrêmement forte de « vie », de ce que signifie « la vie » : en priant et en célébrant seul sur la pierre du Sépulcre, avec très peu de personnes assistant au-dehors, il me semblait saisir d'une manière extraordinairement lucide que la vie est le thème au cœur de toutes les religions, qu'elle est l'aspiration de l'humanité, qu'en ce lieu se concentrait toute espérance, toute certitude, toute confiance en la vie.

Il est difficile de décrire l'expérience que j'ai vécue, l'intuition que j'ai eue d'une vie qui ne finit jamais, qui éclate, déborde, embrasse l'univers ; la sensation que toutes les religions se jouent sur le thème de la vie pour toujours, de la Résurrection, et que tout devait donc être compris et jugé à partir de là.

Durant ce voyage, j'ai aussi vécu – je ne me rappelle plus le jour précis – une expérience de mort. Une expérience toute simple, très banale. Je visitais les puits d'El Gib (l'antique Gabaon), lieu du songe de Salomon, où il demande au Seigneur le don de la sagesse (voir 1 R 3). Je réfléchissais au fait que Gabaon est également mentionnée dans le livre de Josué (9-10) à propos de l'Alliance particulière obtenue par l'astuce des Gabaonites, et dans le deuxième livre de Samuel, chapitre 21, pour la cruelle mise à mort de sept descendants de Saül, accordée par David aux Gabaonites pour apaiser la colère de Yahvé.

Autour des grands et profonds puits en maçonnerie – probablement du temps de Salomon – était entassé le matériau provenant des fouilles et, pour photographier un puits, il fallait monter là-dessus et se pencher. Nous avons fait la queue (nous étions une trentaine) et quand vint mon tour de prendre la photo, la montagne de sable et de cailloux se mit à s'effondrer, peut-être parce que trop piétinée ; je commençai à glisser vers le trou.

Je me voyais déjà mort, englouti dans le magma, mais soudain me vint une pensée – que je considère comme une vraie grâce du moment qu'elle ne s'est pas répétée : qu'il est beau de mourir sur cette terre ! Et je me sentais tranquille, serein, content de ce qui m'arrivait. Je crois même que c'est précisément cette tranquillité absolue qui m'a sauvé : en effet, restant paisible pendant la glissade, je plongeai instinctive-ment les mains dans la masse de sable et de pierres, et je réussis à m'arrêter juste avant de tomber au fond.

Cette expérience de mort proche, conjuguée avec la précé-dente expérience de vie, est demeurée imprimée dans mon cœur. Pour autant que je m'en souvienne, c'était la première fois que je ressentais avec force que mes racines existentielles étaient liées à cette terre, à ces lieux.

L'expérience des racines historiques.

J'ai vécu, quelques années plus tard, un deuxième moment de croissance de la conscience de mes racines. J'étais alors recteur de l'Institut biblique pontifical de Rome et je visitais régulièrement l'antenne de Jérusalem, une maison qui se trouve près de la porte de Jaffa, dans un très bel endroit ; de sa terrasse, on embrasse directement les murailles de la ville.

J'arrivai par avion de Rome un soir tard, je me rendis sur la terrasse de la maison et je me mis à contempler le ciel étoilé en regardant du côté des remparts. Je fus soudain presque envahi par cette perception : c'est ici que je suis né, à Jérusalem.

Cela peut apparaître une chose irrationnelle, une perception qui trouve dans le cœur sa seule raison logique. Pourtant j'expérimentais que les mots du psalmiste : « Un tel y est né »

(Ps 87, 6) se vérifiaient, et je ne savais ni comment ni pourquoi. Il me semblait vraiment être né là, avoir toujours vécu en contact avec ces pierres. Aux racines existentielles s'ajoutaient donc les racines historiques : faire partie de ces pierres, de cette histoire, de cette réalité que l'on touche de la main.

L'expérience des racines culturelles.

Recteur de l'Institut biblique de Rome depuis déjà quelques années, je jugeai le moment venu de chercher le contact avec l'Université hébraïque de Jérusalem, pour donner aux élèves du Biblicum (presque tous prêtres) la possibilité d'étudier dans cette institution, dans le cadre du curriculum de formation d'un exégète. Il me semblait en effet important de s'immerger dans la culture et la mentalité de la réalité juive de Jérusalem.

Je garde encore vivant le souvenir des rencontres que je fis alors ; chacune d'elle m'ouvrait un contact, une relation d'amitié avec les représentants de la culture universitaire et de la réalité locale.

Le recteur de l'université m'accueillit avec beaucoup de cordialité et se montra tout de suite intéressé par le projet, qui pouvait pourtant paraître étrange ou impossible. Il me mit en contact avec le professeur Shemariau Talmon, qui devint ensuite un grand ami, et nous commençâmes à élaborer un programme.

Je me rappelle avec joie une Pâque juive célébrée dans la maison du professeur Talmon avec toute sa famille, qui m'introduisit de manière extraordinaire dans la mentalité, dans la culture, dans la tradition religieuse du peuple juif. Combien de noms d'amis je pourrais évoquer ! Je pense, entre autres, à David Flusser, cet homme si éminemment sympathique, l'un des meilleurs connaisseurs du Nouveau Testament, qui enseignait à l'université et aimait parler latin ; quand je lui téléphonais, il répondait : « quomodo te habes, amice carissime... », et la conversation commençait. Je pense à certaines grandes personnalités comme le père Marcel Dubois – qui avait fondé la Maison d'Isaïe – et le père Bruno Hussar, fondateur de Névé Shalom.

Ce fut le moment où, aux racines existentielles de la première expérience de vie et de mort et aux racines historiques de ma perception d'être né à Jérusalem, s'ajoutèrent les racines culturelles (la culture, l'histoire, la tradition, les rapports amicaux avec les personnes).

À partir de ces trois premiers moments, tout s'est développé, a crû et a créé un environnement, un point de référence.

Comment naît et s'affine le rapport avec Jérusalem et avec ses propres racines saintes.

Mon rapport personnel avec Jérusalem est fait de rencontres « providentielles », et c'est une histoire différente pour chacun. Il ne s'agit pas simplement d'un dogme, d'un principe ; c'est une série de faits, d'expériences, et c'est pourquoi cela vous implique très profondément.

Je pense que chaque chrétien parcourt ce chemin, de quelque façon, à travers des lectures, des symboles, la connaissance de personnes. L'important est que chacun soit attentif à ce qui advient en lui, le rende bénéfique, l'unifie, le sonde pour trouver ensuite une figure de référence.

Il s'agit d'une rencontre qui conduit à se mettre progressivement en empathie avec le peuple juif et son histoire, sa culture, ses souffrances et ses gloires. Qui pousse à aimer, estimer, étudier les richesses traditionnelles de ce peuple. Il ne suffit pas – je l'ai répété en maintes occasions – de combattre l'antisémitisme ; il faut apprendre à connaître, à expérimenter son trésor d'histoire et de culture, à se familiariser avec lui parce qu'il nous fait découvrir nos propres racines.

Sur cette voie, la Jérusalem historique et la Jérusalem symbolique jouent un rôle différent, mais semblable en profondeur : l'une appelle l'autre, est le symbole de l'autre.

Il en découle que la paix à Jérusalem est le signe de la paix dans le monde, elle est une question cruciale pour les peuples qui y résident et en même temps pour l'humanité entière, en tant qu'elle est symbole et signe de la destinée humaine. C'est pourquoi aussi sa souffrance est signe et symbole de la souffrance humaine.

Je conclus par une citation du psaume 122, dont nous pouvons tous ressentir la force dramatique en ces jours :

> Appelez la paix sur Jérusalem :
> Que soient paisibles ceux qui t'aiment !
> Advienne la paix dans tes murs
> Que soient paisibles tes palais
> Pour l'amour de mes frères, de mes amis,
> Laisse-moi dire : paix sur toi !

Pèlerinages en Terre sainte

Le but premier d'un pèlerinage en Terre sainte est de vivre une expérience de foi, d'approfondir notre foi. Saint Jérôme (qui vécut jusqu'à sa mort dans une grotte proche de celle de la naissance de Jésus) disait à un groupe de pèlerins de son époque : « Impossible d'énumérer tous les évêques, tous les martyrs qui sont venus à Jérusalem. Ils étaient convaincus que quelque chose manquerait à leur foi et à leur savoir, ils étaient persuadés qu'ils ne pourraient atteindre la perfection s'ils ne venaient adorer le Christ en ces lieux mêmes où l'Évangile avait d'abord rayonné de la Croix sa splendeur. » Et expliquant comment il fallait vivre le pèlerinage, il ajoutait : « Nous chanterons sans nous lasser, nous pleurerons souvent, la prière ne connaîtra pas d'interruption ; blessés par l'amour brûlant du Sauveur, nous répéterons à l'unisson : *j'ai trouvé celui que mon âme cherchait ; je le tiendrai bien serré et je ne me détacherai plus de lui.* »

NAZARETH
Le mystère de l'Annonciation (Lc 1, 26-38)

Le oui à Dieu et le oui de Dieu.

La scène, merveilleusement décrite par l'évangéliste Luc, est animée par des personnages d'ici-bas (Jacob, David,

Joseph, Marie, Élisabeth, Jean-Baptiste) et par des personnages du ciel (Gabriel, le Seigneur, le Fils du Très-Haut, l'Esprit-Saint).

Certains personnages de la terre appartiennent à la première histoire biblique, alors que d'autres représentent le début de l'histoire évangélique. Cette page constitue donc une synthèse de toute l'histoire du salut, synthèse marquée par deux caractéristiques fondamentales.

La première est le *oui* des hommes à Dieu : le *oui* de Jacob qui part pour une aventure inconnue ; le *oui* de David qui se laisse conduire par la force de Dieu en se lançant dans son combat contre Goliath ; le *oui* à Dieu de Joseph qui ne sait ce qui va lui arriver et accepte pourtant ce que le Seigneur a disposé ; le *oui* de Marie, qui résume tous les *oui* à Dieu de l'humanité et condense toutes les attitudes de l'homme qui accueille le mystère du Père révélé dans le Fils par la puissance de l'Esprit. Ce qui est célébré, c'est le *oui* de l'humanité à Dieu, auquel nous apportons notre adhésion, en demandant à Marie que son *oui* soutienne le nôtre et que notre *oui* étende le sien jusqu'aux extrémités de la terre.

La deuxième caractéristique est le *oui* des personnages célestes, un *oui* qui représente le *oui* de Dieu à l'humanité, sa volonté d'être *Dieu avec nous* pour toujours, avec une fidélité inébranlable, dans toutes les civilisations, dans toutes les cultures, à chaque instant de l'histoire.

La scène évangélique proclame donc le centre de l'histoire humaine, le signe que l'histoire va vers Dieu, le fait que l'humanité est aimée de Dieu, et en même temps notre proposition à nous, citoyens de cette histoire, qui voulons répondre à Dieu comme et avec Marie.

Le oui de chacun de nous.

Que signifie pour nous ce *oui* prononcé avec Marie ?

Chacun doit répondre avant tout par sa propre vie, par son propre projet d'existence : que signifie pour moi dire *oui* à

Dieu, me laisser envahir par la force de l'Esprit-Saint, laisser engendrer en moi (selon l'expression de saint Ambroise), dans la foi, le Fils même de Dieu ?

Par rapport au jour où Marie a prononcé son *oui*, la force de la consécration de Dieu à l'homme n'a pas diminué, elle est identique, et nous la revivons dans la puissance de la célébration de la Parole et de l'Eucharistie.

JÉRUSALEM, GETHSÉMANI
(JARDIN DES OLIVIERS)

La pénétration tourmentée du mystère de l'histoire
à travers les Écritures

Tout le récit de la Passion est plein de mystères, d'énigmes, d'obscurités ; c'est comme un ciel de tempête et de foudre, avec des coups de tonnerre, des éclairs effrayants. Mais la parole, à mes yeux la plus dramatique, est celle qui conclut le récit évangélique, quand Jésus crie d'une voix forte : « Mon Dieu, mon Dieu, pourquoi m'as-tu abandonné ? » (Mc 15, 34.) Chaque fois que nous la réentendons, nous sommes pris d'un frisson parce que, coupée du contexte, elle pourrait apparaître comme l'invocation d'un désespéré, de quelqu'un qui a perdu la foi, qui a été emporté par l'adversité.

Pourtant, c'est précisément en entendant cette parole que le centurion s'exclame : « Vraiment cet homme était Fils de Dieu ! » L'évangéliste lit manifestement dans ce cri de Jésus la fidélité de Dieu.

Cherchant alors à pénétrer le mystère du « Mon Dieu, mon Dieu, pourquoi m'as-tu abandonné ? », je voudrais faire observer que, à partir du chapitre 14 de Marc, Jésus parle progressivement de moins en moins. Le Jésus de la Galilée, des grands discours, du Discours sur la montagne, du discours missionnaire, le Jésus des longues disputes avec les juifs qui nous est présenté surtout par Jean, des propos mordants, entre peu à peu, après Gethsémani, dans le plus profond silence. L'une de ses dernières paroles est celle par laquelle il s'adresse à ceux qui sont venus l'arrêter : « C'est pour que les Écritures s'accomplissent » (Mc 14, 49). Il donnera encore seulement de très brèves réponses aux questions qui lui seront posées.

On a ainsi l'impression que Jésus se renferme en lui-même, presque comme stupéfait, bouleversé par le déluge de calomnies, de malveillance, d'interprétations perverses, de cruauté qui se déchaînent contre lui. C'est comme s'il s'enfermait en lui-même pour accueillir ce mystère d'iniquité et le consumer en lui pour l'humanité.

Après son long silence face à des accusateurs en tout genre, face aux mauvais traitements et aux injustices, et alors seulement, Jésus, au moment de sa mort, s'écrie : « Mon Dieu, mon Dieu, pourquoi m'as-tu abandonné ? » C'est la parole de quelqu'un qui, ayant intériorisé toutes les déceptions, les amertumes et les douleurs du monde, ayant senti tomber sur sa personne tout le mystère de la souffrance et ayant cherché une raison, un sens à ce terrible mystère, trouve finalement dans les Écritures la parole-clé, le verset qui interprète son vécu, le psaume qui explique tout : « Mon Dieu, mon Dieu, pourquoi m'as-tu abandonné ? »

Même si en apparence tout se retourne contre moi et si je suis comme abandonné de Dieu, c'était écrit, cela appartient au mystère de Dieu, des Écritures, et je ne puis donc que manifester cet amour miséricordieux du Père qui a été révélé dans les Écritures.

Il me semble ainsi lire dans cette parole le cri de celui qui, au bord du désespoir le plus noir, a trouvé la signification de ce qu'il vit dans les Écritures et dans la volonté du Père, volonté d'amour et de salut.

Les Écritures permettent de comprendre la signification de tous les événements extraordinaires qui sont arrivés sur cette terre, de ceux qui doivent arriver et arriveront dans le monde. Parce que tout est écrit, et en tout s'accomplit le mystère de Dieu. Parce que le mystère que Jésus a accompli en lui-même et où il a lu la volonté et l'amour du Père est le même mystère que nous pouvons lire et interpréter dans la réalité de chaque jour, dans la réalité personnelle, ecclésiale, civile, sociale, politique.

JÉRUSALEM, SAINT SÉPULCRE
Reconnaître le Ressuscité présent au milieu de nous

Jésus est vivant (Ac 1, 3-8).

Le livre des Actes des Apôtres nous parle de ce que Jésus est aujourd'hui : « Il se montra vivant après sa passion » (Ac 1, 3).

Avant tout, nous voulons proclamer que Jésus est vivant et a donné aux apôtres « la force de l'Esprit-Saint » pour qu'ils soient « ses témoins à Jérusalem, dans toute la Judée et la Samarie et jusqu'aux extrémités de la terre » (Ac 1, 8). On célèbre en ce lieu le témoignage des apôtres qui est parvenu jusqu'à nous.

Jésus est ressuscité le troisième jour.

Tel est le témoignage de la Résurrection de Jésus : « Le Christ est mort pour nos péchés selon les Écritures, il a été mis au tombeau, il est ressuscité le troisième jour selon les Écritures, il est apparu à Céphas, puis aux Douze. Ensuite il est apparu à plus de cinq cents frères à la fois […] ensuite il est apparu à Jacques, puis à tous les apôtres. Et en tout dernier lieu, il m'est apparu aussi à moi » (1 Co 15, 3-8). Nous vénérons le lieu de sa sépulture, un lieu qui ne nous attriste pas mais nous donne une joie profonde, car nous savons que le sépulcre est vide, que Jésus est ressuscité. Grâce au témoignage des personnes rappelées dans le passage de la lettre de Paul, nous pouvons faire mémoire des apparitions de Jésus, de sa résurrection, nous pouvons célébrer les mystères de sa vie dans l'Église.

Jésus est présent au milieu de nous (Jn 20, 11-18).

Le passage évangélique de Jean nous dit enfin ce qu'est Jésus aujourd'hui, dans notre Église ; il nous parle de Marie Madeleine qui cherche Jésus car elle ne savait pas que le Seigneur était précisément celui à qui elle était en train de parler. Et Marie Madeleine pleurait sans motif, cherchait sans résultat et demandait sans raison, ignorant que Jésus, sur qui elle pleurait, qu'elle cherchait et au sujet de qui elle question-nait, était avec elle.

Marie Madeleine qui pleure, qui cherche, qui interroge, est l'image de nous-mêmes lorsque, souvent, nous jugeons la vie, l'histoire, l'Église, sans penser que Jésus est vivant devant nous. Quand nous considérons l'histoire humaine, l'histoire actuelle, l'histoire de l'Église et de la civilisation en oubliant que Jésus est présent et nous donne vie, nous questionnons, nous cherchons, peut-être pleurons-nous sans résultat et sans raison. Quand au contraire nous reconnaissons Jésus vivant au milieu de nous, en nous, dans notre vie, dans notre Église, alors nos pleurs, nos recherches, nos questions se transforment en joie.

Et nous louons le Seigneur Jésus parce qu'il a donné sens, joie et fécondité aux pleurs et à la recherche de cette femme.

Demandons-lui de donner sens et fécondité à nos pleurs, à toutes les larmes et à toute la recherche des peuples qui habitent cette terre. Demandons-lui de donner joie et fécondité à tout l'effort des peuples, des cultures, avec la certitude qu'il est vivant, qu'il nous apparaît et se rend présent dans l'Eucha-ristie, et nous le rencontrerons comme Madeleine, comme Jean, comme Pierre, comme les Douze, au sépulcre, au cénacle, au bord du lac.

LE DÉSERT DE JUDA

Cheminer au désert

Israël au désert (Dt 32, 10-12 ; Is 16, 2-5).

Ces passages, comme beaucoup d'autres textes de la Bible, nous parlent du désert, parce que le désert est l'un des concepts géographiques les plus riches de symboles pour l'homme de l'Ancien Testament.

Le peuple d'Israël a vécu de nombreuses années au désert et, dans l'histoire de ce peuple, le désert devient le lieu de la fidélité de Dieu et aussi de l'infidélité de l'homme ; le lieu où Dieu manifeste son amour, où le peuple en marche est tenté et capitule.

Le désert est surtout le lieu où Dieu a formé son peuple : « Il l'entoure, il l'élève, il le garde comme la prunelle de son œil » (Dt 32, 10b).

Le désert est aussi le théâtre de la tentation, de la grogne et de la rébellion contre Moïse et Aaron : « Vous nous avez amenés dans ce désert pour faire mourir de faim toute cette multitude » (Ex 16, 3). Au désert, il faut choisir entre la confiance en Dieu et le désespoir de celui qui se couche par terre et se laisse mourir. Quand le peuple d'Israël se trouva dans le désert menant au Sinaï, il fut mis devant ces choix : aller plus avant en se confiant au Seigneur, fermant les yeux et espérant en lui, ou revenir en Égypte, où les Hébreux auraient quelque chose à manger mais seraient à nouveau esclaves, ou encore se disperser et se laisser mourir.

Le désert met donc l'homme face à sa vérité et nous pouvons méditer sur l'effort accompli par Israël pour être fidèle au Dieu vivant. Israël, en effet, est un symbole de notre vie : les tentations qu'il a vécues sont un symbole des nôtres et la confiance dont il a fait preuve est un symbole de la nôtre. Combien d'entre nous entament leur marche au désert, mais se fatiguent vite et reviennent en arrière !

Donne-nous, Seigneur, de comprendre les épreuves de ton peuple Israël au désert. Donne-nous de comprendre la fragilité et les infidélités qu'a comportées la marche au désert, de comprendre avec quel amour, avec quelle miséricorde, tu as éduqué attentivement et courageusement ton peuple, avec quelle fidélité tu as veillé sur lui. Nous sommes certains, Seigneur, que tu veilles sur nous aujourd'hui et nous te demandons de continuer à veiller sur notre persévérance, sur notre fatigue, à veiller sur nous si nous sommes tentés de revenir en arrière quand la peur nous assaille. Veille sur nous, Seigneur, afin que, comme Israël, nous puissions arriver à la terre de ta promesse. Nous te prions pour tous ceux qui, sur le chemin du désert de la vie, se fatiguent, désespèrent, au point de vouloir mettre fin à leurs jours ; nous te prions pour tous ceux qui n'espèrent plus, pour ceux qui sentent la mort prochaine ou n'ont pas de perspectives, et nous te demandons de leur donner la certitude que tu les éduques, que tu leur es proche et que tu veux faire croître leur foi sur le chemin de la Terre promise.

Jésus au désert.

Après avoir réfléchi sur l'expérience du peuple d'Israël au désert du Sinaï, je voudrais méditer sur Jésus qui s'en va dans le désert, au milieu des dunes, des vallées escarpées, des cavernes, pour y passer quarante jours et quarante nuits avant d'inaugurer son ministère public. Ce lieu porte la marque de son jeûne, de sa faim, de sa soif, de ses prières nocturnes, de son cri vers Dieu, de sa récitation des psaumes, de sa confiance en Dieu Père, et aussi de la tentation par Satan. Au désert, Jésus a vécu un moment dans lequel toute sa vie s'est comme condensée dans la prière, l'adoration, la louange, et la tentation.

Donne-nous, Seigneur, de participer un peu à ce que tu as vécu et de vivre avant tout ta prière, ton adoration du Père dans la solitude parfaite, en le reconnaissant comme le seul Dieu, le seul Créateur du ciel et de la terre. Toi, Jésus, tu résumes en ces lieux arides toute l'humanité en quête du sens de la vie, et tu t'y offres pour elle ; tu y affrontes le tentateur, les forces malignes qui auraient voulu te dissuader de poursuivre ton chemin d'humilité et de pauvreté, qui auraient voulu te séduire par le succès et le pouvoir. Cette tentation est terrible : abandonner la voie de la modestie, de l'ombre, pour entrer dans celle du succès, de la gloire humaine et spirituelle, de la possession des personnes et de l'argent. Mais toi, Fils de Dieu, en ce lieu tu as dit *non* à tout cela, en nous enseignant une vie simple, humble, consacrée aux autres, dans le silence, dans le refus de l'apparence.

L'Église au désert.

Méditons enfin sur l'Église au désert, selon la parole de l'Apocalypse : « La femme s'enfuyait au désert, où Dieu lui a ménagé un refuge » (Ap 12, 6).

Être Église au désert, cela signifie que l'Église recherche le désert et s'en nourrit. Si nous explorons ces vallées, nous découvrirons de nombreuses grottes d'ermites, de nombreuses habitations de moines qui, au long des siècles, ont vécu ici. De toute la chrétienté, des milliers et des milliers de personnes sont venues au désert pour se nourrir de Dieu et nourrir leur Église. Et encore aujourd'hui la vie monastique continue dans ce désert : dans celui du Sinaï, dans les déserts d'Égypte et dans les régions du mont Athos ; tous les monastères entendent reprendre l'expérience d'une Église au désert. Chacun de nous également est appelé à se nourrir de moments de désert dans sa propre vie.

Être Église au désert, cela signifie en outre prendre soin de ceux qui, dans le désert de notre société, gisent sur le bord du chemin, pauvres, marginalisés, exclus, souffrants, désespérés. La route qui va de Jérusalem à Jéricho suit plus ou moins le tracé de l'antique voie romaine, par laquelle descendait ce malheureux qui fut blessé et laissé pour mort par des bandits au bord du chemin. Ce malheureux dont prit soin le Samaritain de la parabole évangélique (voir Lc 10, 25-37).

Être au désert, cela veut dire percevoir ceux qui, au bord du chemin, sont plus désespérés que nous, plus seuls que nous ; cela veut dire vivre la proximité. Au désert, enfin, la proximité est comme plus immédiate, parce qu'on comprend le besoin de celui qui est plus seul que nous.

Enfin, être Église au désert, cela signifie affronter aussi la persécution, la critique, l'insuccès, l'impuissance, la faiblesse. L'Église vit sa tentation de solitude, de pauvreté, au désert de la vie, avec la confiance dans le pasteur qui ne permet pas que les brebis se perdent et meurent de faim. L'Église vit au désert avec la confiance totale en son berger, Jésus, qui la conduit au désert de la modernité.

Le désert deviendra jardin.

« Jusqu'à ce que se répande sur nous l'Esprit d'en haut, et que le désert devienne un verger, un verger qui fait penser à une forêt. Dans le désert s'établira le droit et la justice habitera le verger. Le fruit de la justice sera la paix, et l'effet de la justice repos et sécurité à jamais » (Is 32, 15-17).

Ce désert, symbole de l'aridité humaine, est aussi le symbole de la transformation que Dieu veut faire du désert de notre existence, en faisant d'elle un jardin. Un jardin où régneront la justice, la paix, le droit, la sécurité. Ce sont des mots qui peuvent s'appliquer aux souffrances, aux angoisses, aux attentes des gens qui habitent cette terre. Et nous voulons prier aussi pour que ce désert se transforme, par la grâce de Dieu, par la force de la réconciliation évangélique, en un lieu de droit, de justice, de sécurité, de paix pour tous les peuples.

NAZARETH

Selon les mots de Paul VI

Je voudrais rappeler d'abord quelques mots prononcés par Paul VI durant son discours dans la basilique de l'Annonciation, le 5 janvier 1964 : « Nazareth est l'école où l'on a commencé à comprendre la vie de Jésus, l'école de l'Évangile. »

Paul VI poursuit, toujours à propos de Nazareth : « On y apprend à observer, à écouter, à méditer, à pénétrer la signification si profonde et si mystérieuse de cette simple, humble et belle manifestation du Fils de Dieu. »

Ici « on apprend la méthode pour comprendre qui est le Christ, on découvre le besoin d'observer le milieu où il vécut parmi nous, les lieux, le temps, les coutumes, le langage, les habitudes religieuses, tout ce dont Jésus s'est servi pour se révéler au monde ».

Et un autre mot de Paul VI nous permet de nous attacher au mystère de l'Annonciation : « Ici tout parle [...] ici tout a un sens. »

La demande de sens exprimée par Marie (Lc 1, 26-38).

Je suis surtout frappé par cette expression de l'évangéliste : « Elle fut toute troublée et se demandait ce que signifiait cette salutation. » Tout ici a un sens, disait Paul VI, et tout commence par la question de Marie : quel sens a une telle salutation ?

Le texte grec est moins prégnant : « *potapos eie o aspasmos outos* », c'est-à-dire : qu'est-ce que c'est que cette salutation ?

Selon Aristote, les questions fondamentales à la racine de tout le savoir humain sont les deux suivantes :

Ti esti ? qu'est-ce que c'est ?

Alethon esti ? est-ce vraiment ainsi ?

Saint Thomas, quant à lui, les reprend souvent : *quid sit ? an sit ?*

La première parole de Marie est une demande de sens, la recherche de la signification immédiate de ce qu'elle est en train de vivre. Écoutons-la résonner dans l'immédiateté de ce que nous vivons : quel sens a notre pèlerinage, le fait de nous trouver ici ? Puis cette question : quel sens a ce voyage, ce pèlerinage qu'est la vie, notre vie sur cette terre.

Le sens de notre pèlerinage, de notre vie.

Nous sommes à Nazareth pour nous efforcer de nous lier affectivement, émotionnellement et spirituellement à Jésus-Christ, qui est notre fondement. Et nous partons de ce lieu, qui est le fondement de l'humanité de Jésus-Christ. Nous sommes ici pour nous laisser inspirer par Jésus sur la façon de vivre le pèlerinage de la vie et le pèlerinage de notre ministère. Jésus est notre modèle.

Nous voulons nous enraciner plus solidement, nous concentrer en Christ, afin d'entrer dans son cœur transpercé (voir Jn 19, 34) et contempler le monde entier.

Nous désirons que notre expérience ne soit pas purement intellectuelle, mais que, par la grâce de l'Esprit-Saint qui a soufflé si puissamment à Nazareth, ce soit une expérience mystique profonde, transformante (pas nécessairement sensible), qui nous mette, renouvelés, entre les mains de Dieu, qui nous fasse mourir au péché et naître à la vie nouvelle en Christ.

Mais la question du sens nous presse : quel sens cela a-t-il de retrouver ces souvenirs, de rencontrer ces peuples ; que sens cela a-t-il, comme le disait Paul VI, de connaître les lieux, le temps, les coutumes, le langage, les habitudes religieuses de ces gens ? Quel sens cela a-t-il pour nous de rencontrer les étapes prébibliques, bibliques, postbibliques de l'histoire vertigineuse d'une terre qui a connu des événements en tout genre, où se sont opposées des cultures, des civilisations, où sont advenus des épisodes sanglants, où ont été versées tant de larmes, vécues tant de souffrances et tant de tensions ? Cela a le sens de relier toute cette histoire à Jésus.

MONT THABOR
Le cœur de la vie de Jésus (Lc 9, 28-36)

Le contexte.

L'épisode se situe peu après la profession de foi de Pierre, qui constitue le grand passage décisif, pour lui et pour les Douze, d'une considération purement humaine du maître (Jean-Baptiste, Élie, Jérémie, un des prophètes) à une considération transcendante (le Christ de Dieu, le Christ Fils de Dieu). Le rapport des disciples avec Jésus se transforme, il devient révérence, recherche du mystère, anxiété et crainte face au mystère.

La profession de foi de Pierre est immédiatement suivie par la première annonce de la Passion, qui est un passage fondamental de la vie de Jésus : du Messie thaumaturge au Messie souffrant.

Ainsi donc, immédiatement avant l'épisode sur le Thabor, Jésus exprime les conditions pour le suivre (« si quelqu'un veut venir à ma suite, qu'il se renie lui-même, qu'il se charge de sa croix chaque jour, et qu'il me suive »). Ces conditions représentent un passage pour les disciples : de la suite d'un Messie qui connaît le succès à celle marquée par la même souffrance que va connaître Jésus.

Je voudrais observer qu'après la page de Luc (9, 28-36), nous trouvons, au verset 1, la formule *« firmavit faciem suam »*, l'affirmation claire et publique que le Messie prend résolument le chemin de Jérusalem, celui de la Croix et de la Résurrection.

Un autre épisode étroitement lié au précédent dans le contexte, celui de l'épileptique (voir Lc 37 s.), montre le peu de foi des disciples, la peine qu'ils ont à suivre le Maître.

Les circonstances.

Le mystère advient dans le cadre d'une prière, mentionnée deux fois : « il monta sur la montagne pour prier, et pendant qu'il priait […]. » La demande des disciples en Luc, chapitre 11, « Apprends-nous à prier », pourrait parfaitement avoir été adressée après l'épisode situé sur la montagne. Autrement dit : toi qui t'es transfiguré dans la prière, fais que nous aussi nous puissions participer de quelque façon à cette transfiguration.

Outre le thème fondamental de la prière, le récit évoque une autre circonstance : seuls Pierre, Jacques et Jean sont témoins de l'événement, les trois mêmes qui seront proches du Maître à Gethsémani, quand Jésus changera d'aspect en assumant le visage de la Croix plutôt que celui de la gloire. Et il est intéressant de noter que Jean sera le seul disciple témoin de la Croix et du côté transpercé ; nous verrons que l'événement du côté transpercé représente, de quelque manière, le point culminant de la Transfiguration sur le Thabor.

Une circonstance, en revanche, distingue la page lucanienne de tous les autres récits évangéliques : la présence de deux personnages vétéro-testamentaires, Moïse et Élie, la Loi et les prophètes. Loi et prophètes sont deux éléments que nous devons bien connaître pour comprendre à fond la vie de Jésus, pour comprendre Jésus comme achèvement, plénitude de l'Ancien Testament.

Les disciples sont écrasés par le sommeil, comme ils le seront à Gethsémani. Il me semble que cela indique la peine qu'ils ont à discerner, à comprendre, au moment même où le mystère de Dieu se révèle vraiment : en cet instant nous nous refusons, nous nous ennuyons, nous nous sentons perturbés et nous préférons dormir, ne pas y penser, parce que c'est trop pour nous. C'est la fatigue de la prière de veille intense : il s'en faut de peu que ces disciples ne perdent le sens de ce qui se passe.

Dans le contexte de tous ces signaux caractéristiques, Jésus est au centre, vêtu d'une blancheur éblouissante, comme un ressuscité. Cela signifie que Jésus doit toujours être compris sur ce fond de vêtements blancs de la Résurrection, de la gloire, de la vie.

Comprenons donc que le grand secret, le mystère de ce mystère, la clé pour saisir le passage, c'est de lire la vie dans la mort, la Résurrection dans la Croix.

La dernière circonstance à rappeler nous est donnée par les trois tentes que Pierre veut dresser : elles représentent notre propension récurrente à nous arrêter à mi-chemin, à nous arrêter sur l'aspect du succès pour le retenir, le posséder, afin de ne pas avoir à aller plus loin, à Jérusalem, sur le chemin de la Croix.

Toutes ces circonstances indiquent la richesse extraordinaire de l'épisode et expliquent que l'iconographie, surtout byzantine, l'ait si souvent repris.

Au point culminant du mystère, on entend la Parole du Père : « Celui-ci est mon Fils, l'Élu, écoutez-le ! » C'est la révélation que le Père fait de Jésus et que le Père fait donc de lui-même en Jésus.

Le passage.

Quel passage représente pour Jésus le moment séparant la confession de Pierre du « *firmavit faciem suam* » ?

Il s'est déjà montré dans sa vérité, il s'est déjà offert à la Croix par sa double annonce de la Passion. Ici, en relation avec son offrande à la Croix, il manifeste sa gloire et sa nature de Fils.

Tel est le sens profond de Luc (9, 28-36) : Jésus manifeste en lui-même la soudure entre la Croix et la gloire, entre passion et salut, entre mort et vie, entre filiation et obéissance, soudure qui constitue le noyau du mystère historique du Verbe incarné.

Il ne s'agit pas seulement d'une réalité ontologique (Dieu-homme), à considérer abstraitement, mais d'une réalité historique de croix et de gloire, d'humilité et d'honneur, de souffrance et de joie, de pauvreté et de règne, de mort et de vie. C'est là le cœur de la vie de Jésus, résumée dans les Béatitudes ; celles-ci expriment justement cette opposition vécue qui se condensera dans l'eau et le sang coulant du flanc du Crucifié : l'eau de la vie avec le sang de la mort.

Comprendre cette unité est le passage auquel nous aussi sommes appelés, un passage difficile pour les disciples eux-mêmes. En effet, ils étaient accablés de sommeil et Pierre ne savait pas ce qu'il disait ; en outre, ils appartenaient à une génération incrédule et perverse (Lc 9, 41) ; ils avaient peur des paroles de Jésus sur la Passion et ils craignaient de lui poser des questions (voir Lc 9, 45) ; ils discutaient pour savoir qui était le plus grand d'entre eux (Lc 9, 46) et étaient pleins d'envie envers cet autre qui expulsait aussi les démons (voir Lc 9, 49).

Tout cela à l'opposé du « *firmavit faciem suam* ».

Entre la Transfiguration et le « *firmavit* » il y a donc toute la peine des disciples à comprendre le sens de l'unité entre la gloire et la Croix.

Le passage auquel nous sommes appelés consiste à accepter l'énorme difficulté pratique de comprendre l'attelage, dans notre vie, entre ascèse et liberté intérieure, entre mortification et joie, entre Passion et Résurrection.

Autrement dit, nous devons passer du mélange des termes à la synthèse qu'est la voie du Fils rédempteur.

NAZARETH

Comment vivre les passages de la vie

Jésus se détache de Nazareth (Mt 4, 12-17).

Jésus abandonne Nazareth pour inaugurer son ministère public.

L'évangile de Matthieu (3, 13) note un éloignement antérieur de Nazareth : « Alors Jésus arrive de la Galilée au Jourdain, vers Jean, pour se faire baptiser par lui. » Il s'agit du premier détachement officiel : Jésus s'en va pour recevoir l'investiture prophétique et abandonne la vie ordinaire, la vie de sa formation.

L'évangéliste Marc est, à cet égard, plus explicite : « En ces jours-là Jésus vint de Nazareth en Galilée, et il fut baptisé dans le Jourdain par Jean » (Mc 1, 9).

Il est à Nazareth un troisième renoncement, qui a une valeur significative, symbolique : à l'âge de douze ans, Jésus est emmené par ses parents à Jérusalem pour la fête de la Pâque et reste dans le Temple « pour être dans la maison du Père » (voir Lc 2, 41-50).

À ces trois renoncements, il faut en ajouter un quatrième, mais cette fois ce n'est pas Jésus qui rompt, ce sont les autres qui le chassent de Nazareth. Cet épisode est même pour Luc le premier : Jésus entre dans la Synagogue, selon son habitude, le jour du sabbat, se lève pour lire le rouleau du prophète Isaïe et l'explique en l'actualisant. Et voilà que « entendant cela, tous dans la Synagogue furent remplis de fureur. Et, se levant, ils le poussèrent hors de la ville et le menèrent jusqu'à un escarpement de la colline sur laquelle la ville était bâtie, pour l'en précipiter. Mais lui, passant au milieu d'eux, allait son chemin » (Lc 4, 28-30).

On peut dire que les évangélistes racontent donc au moins quatre départs de Nazareth : celui symbolique où, à douze ans, Jésus veut être dans la maison du Père ; le deuxième, qui souligne sa préparation à la vie publique par le baptême ; le troisième, quand il part pour Capharnaüm inaugurer officiellement sa prédication ; le quatrième, quand il est chassé à cause de cette prédication.

Avec quel esprit Jésus a-t-il vécu ces renoncements ?

Il a certainement vécu son départ pour Jérusalem, dans la maison du Père, avec la simplicité propre à l'adolescence, cette simplicité un peu rêveuse de l'adolescent qui poursuit sa vocation. Tout lui apparaît évident, facile : il doit rester dans le Temple, et il ne peut donc retourner à Nazareth. Il ne se soucie de rien d'autre, comme un garçon amoureux.

Le deuxième départ, pour recevoir le baptême de Jean, je le comparerais à l'entrée au séminaire ; le jeune a décidé, il sort des rêves, il se met en marche et, tout en ayant encore l'enthousiasme du novice, il a désormais le réalisme de celui qui prend la route.

La troisième sortie de Nazareth suit la décision de se rendre à Capharnaüm pour inaugurer son ministère. Il s'agit de se décider pour un genre de vie au service des autres dans la grande ville, dans la « cité séculière », dans le tourbillon de la vie moderne, en se mettant au milieu des gens.

Jésus a vécu l'ultime renoncement, l'expulsion de Nazareth, avec le réalisme de celui qui commence à goûter le prix de ses propres choix : auparavant il était soutenu par la nouveauté et par l'élan, tout en sachant qu'il devrait payer de sa personne, mais à un certain moment il perçoit que le prix est très élevé et se situe alors le passage de la connaissance notionnelle à la réalisation.

JÉRUSALEM, LE « DOMINUS FLEVIT »

Jésus face au mal du monde

Le passage vers la connaissance du mal.

La lamentation de Jésus sur Jérusalem (Lc 19, 41-44) doit être méditée comme le symbole de ce qu'il éprouve et vit face au mal du monde. Il s'agit ici de la connaissance du mal non au sens où on l'entend dans les chapitres 2 et 3 de la Genèse (« vous serez comme Dieu, qui connaît le bien et le mal »), c'est-à-dire au sens de la possession, de la créativité éthique absolue, mais bien au sens historique ou psychologique, phénoménologique : la connaissance réelle du mal, distincte de la connaissance notionnelle, est précisément un passage, celui de l'adolescence ou de la jeunesse à la maturité.

Dans notre adolescence, notre jeunesse, nous avons une idée abstraite du mal : certes nous le rencontrons dans telle ou telle situation, mais nous peinons à nous rendre compte que le mal a sa puissance propre, nous avons l'impression que nous pouvons aussi avoir confiance en nous, que nous nous sommes peut-être trompés.

Lorsque, à telle occasion, on passe de l'idée abstraite à la chose concrète, à cette expérience dans laquelle la méchanceté, l'absurdité, l'irrationalité bestiale de l'histoire nous touchent et nous blessent, alors nous entrons dans la connaissance du mal.

C'est pourquoi nous voulons réfléchir sur le caractère symbolique de l'épisode où Jésus entre pleinement dans la connaissance du mal qui rejaillira sur lui dans la Passion et dans la mort. Il y a un lien étroit entre la lamentation de Jésus lorsqu'il monte vers la ville, et cette ville qui le recouvre et l'écrase de tout son mal, mal qu'il prendra sur lui. Un lien étroit entre le lieu du « *Dominus flevit* » et Gethsémani, entre la lamentation et la sueur de sang.

La péricope de Luc (19, 41-44) rappelle une autre

lamentation de Jésus, au chapitre 13. Après avoir confirmé à nouveau sa ferme volonté de se rendre à Jérusalem, Jésus en donne la raison : « il ne convient pas qu'un prophète périsse hors de Jérusalem. Jérusalem, Jérusalem, toi qui tues les prophètes et lapides ceux qui te sont envoyés, combien de fois j'ai voulu rassembler tes enfants à la manière dont une poule rassemble sa couvée sous ses ailes ! » (Lc 13, 33-34.)

Jésus pleure.

Luc vient de raconter que Jésus, en route vers Jérusalem, est passé par Bethphagé et Béthanie, près du mont des Oliviers : il a envoyé deux disciples chercher un ânon pour le lui amener, et il a décrit la foule en liesse qui étend ses manteaux sur le chemin. Ici l'évangéliste ajoute les lignes suivantes : « Quand il fut proche, à la vue de la ville, il pleura sur elle, en disant : "Ah ! si en ce jour tu avais compris, toi aussi, le message de paix ! Mais non, il est demeuré caché à tes yeux. Oui, des jours viendront sur toi, où tes ennemis t'environneront de retranchements, t'investiront, te presseront de toute part. Ils t'écraseront sur le sol, toi et tes enfants au milieu de toi, et ils ne laisseront pas en toi pierre sur pierre, parce que tu n'as pas reconnu le temps où tu fus visitée !" »

Il y a le fait (Jésus qui pleure), la raison (Jérusalem n'a pas reconnu le temps de sa visite), et la prophétie (« ils ne laisseront pas pierre sur pierre »).

Ce passage doit naturellement être inséré dans son contexte.

Luc 19, 45-46 : Jésus réagit face à une déviation de l'usage du Temple. C'est une autre réaction de Jésus face au mal, à un cas spécifique de mal moral qui suscite son indignation : « Ma maison est une maison de prière. Vous en avez fait un repaire de brigands ! »

Luc 21, 6 : Jésus a de nouveau quelques mots contre Jérusalem : « De ce que vous contemplez, viendront des jours où il ne restera pas pierre sur pierre : tout sera jeté bas. » Paroles que nous devons lire aussi en liaison avec le discours eschatologique.

Luc 21, 37-38 : à la fin de ce discours Luc rappelle qu'à Jérusalem, Jésus « pendant le jour était dans le Temple à enseigner ; mais la nuit, il s'en allait la passer en plein air sur le mont dit des Oliviers ». On a l'impression que ce discours eschatologique est relié à la vision synthétique et globale que nous avons de la cité sainte depuis le mont des Oliviers.

Connaissons-nous le mal ?

Chacun de nous connaît le mal par l'expérience personnelle de sa propre fragilité, de sa propre faiblesse ; par l'expérience familière des choses qui ne vont pas, qui ne nous plaisent pas dans le milieu de la famille, des amis, de l'Église ou de la société.

Or Jésus pleure sur le « péché du monde », non sur les crimes individuels ou les erreurs des personnes, mais bien sur un péché collectif, sur les racines profondes du mal.

Les crimes individuels sont tous ceux qui dégradent l'humanité (homicides, cruautés, stupre, infidélités, trahisons, vols, rapines, corruption administrative et politique, malhonnêtetés) ; l'histoire en est pleine, nous les recueillons souvent dans le ministère de la confession, nous en sommes les témoins chaque jour.

Tous ces maux, renfermés dans le cœur transpercé du Christ, sont le premier degré.

À partir d'eux, liés à eux, voici les crimes collectifs, où des groupes, des catégories, des classes historiques deviennent des dynamismes de péché et déchirent l'humanité : haines ethniques et raciales, haines politiques (les grandes dictatures avec leurs méfaits), haines sociales et de classe (les révolutions avec tous leurs massacres), formes de préjugés organisées et organisations de malfaiteurs, autrement dit structures multiples, ouvertes ou sournoises, de péché.

Voilà le mal que Jésus perçoit en contemplant la cité et, en elle, toutes nos villes.

Les crimes rationalisés, que Jésus contemple, sont les plus terribles, ce sont les crimes collectifs élevés au rang de doctrine : ces idéologies, ces philosophies, cette dégradation des religions, ces filons culturels en tout genre, qui appellent bien le mal et le justifient.

De là naissent les catastrophes qui ruinent la société et secouent périodiquement le cours de l'histoire. Elles peuvent aussi assumer l'aspect d'une catastrophe lente, comme une peste qui ronge peu à peu une société de l'intérieur. Pensons aux philosophies et aux raisons qui conduisent au nihilisme, au relativisme moral, aux idéologies racistes, nationalistes, totalitaires : ce ne sont pas seulement des structures de péché organisées, mais des structures de pensée qui produisent le péché, qui produisent le mal. D'où aussi les persécutions systématiques contre la foi, l'assassinat systématique de l'espérance au cœur des gens, l'assassinat de l'amour.

En particulier, il me semble que Jésus est frappé par les aberrations religieuses, quand la religion prend le mal pour le bien et le bien pour le mal, de sorte qu'un système religieux finit par devenir complice d'un système de mal et de péché. Jésus est écrasé par cet enchevêtrement, sa passion est précisément le fait qu'il est écrasé par le mélange de maux religieux et de maux politiques rationalisés, diversement coalisés.

La difficulté de lire la Bible.

Je voudrais citer quelques passages de la lettre pastorale du patriarche latin de Jérusalem, Michel Sabbah, datée du 1er novembre 1993 et intitulée « La Bible aujourd'hui au pays de la Bible ». Ce n'est pas un titre évident, attendu, parce que, outre le fait qu'il parle de la Bible et de la *lectio divina*, le patriarche latin exprime les difficultés de lire la Bible au pays de la Bible, autrement dit les difficultés vécues par les chrétiens arabes. Et il est impressionnant de rencontrer ce témoignage de la façon dont la Bible peut être interprétée d'une manière déformée, qui crée de véritables contradictions.

Monseigneur Sabbah se demande : l'Israël de la Bible s'identifie-t-il au moderne État d'Israël ? Que signifient les promesses, l'élection, l'Alliance, en particulier la promesse de la terre à Abraham et à sa descendance ? Peuvent-elles justifier les revendications politiques actuelles ? Les chrétiens palestiniens devraient-ils devenir les victimes de cette histoire du salut en laquelle ils croient, histoire qui semble privilégier le peuple juif ? Est-ce là la volonté de Dieu à laquelle les chrétiens devraient se plier, sans appel et sans discussion, en abandonnant tout en faveur d'un autre peuple ?

Il s'agit d'une position intéressante, qui montre bien les lectures déformées que l'on fait de l'Écriture sainte. Monseigneur Sabbah, dans sa conclusion, reprend son argumentation en déclarant qu'il faut libérer la Bible des manipulations politiques :

La Bible est Parole de Dieu. Si certains politiciens ou certains croyants fondamentalistes en abusent pour en faire une arme dans le conflit, cela ne signifie pas que la Parole de Dieu cesse de l'être. La valeur et la vérité de la Sainte Écriture dépendent de l'autorité même de Dieu, et non de ceux, amis ou ennemis, qui en usent ou en abusent. Nous disons cela à tous, mais surtout à ceux qui, exaspérés par l'abus que l'on fait de la Bible dans le conflit actuel, en arrivent à affirmer que l'Ancien Testament n'est rien d'autre qu'une histoire arrangée par les ancêtres du peuple juif, et que ce livre n'a rien à voir avec les livres révélés. Cela signifie avant tout le refus de reconnaître une partie des livres révélés et donc le reniement de la Parole de Dieu. En second lieu, cette position montre simplement que l'on est tombé dans la même erreur que l'on reproche aux autres, à savoir le fait de considérer la Bible comme un livre d'histoire et de culture, qui exprime une position favorable à un peuple contre un autre. Nous abandonnerions alors les témoignages explicites des livres du Nouveau Testament, de Jésus, des apôtres, de l'enseignement de la tradition de l'Église, pour accepter l'idée déformée qui nous est précisément imposée par ceux qui en abusent.

Vraiment une très belle lettre car, à travers le recours à l'exégèse biblique, à l'introduction biblique, au thème de l'inspiration, elle montre comment de fait l'Ancien Testament est aussi pour nous et peut bien être lu en Terre sainte. Toutefois, le patriarche doit faire un effort pour dire aux chrétiens arabes qu'on peut le lire aussi dans leur pays.

Et entre les interprétations négatives, aberrantes, du livre de la Bible, il parle aussi de la question des guerres de religion :

Avec la guerre de religion, le croyant prétend recourir à la force ou à la violence pour défendre les droits de Dieu. Il prétend agir au nom de Dieu, et en son nom il se permet de détruire et de tuer. C'est un fait que la religion devient souvent un instrument pour renforcer d'autres motivations de la guerre, nationales ou culturelles. Ce phénomène, manifeste dans l'histoire de toutes les religions, et dans la psychologie de certains jusqu'à nos jours, est très semblable à certaines manifestations de la violence dans l'Ancien Testament. La violence n'était pas attribuée à Dieu seulement aux temps bibliques : la même mentalité subsiste aujourd'hui encore […]. Beaucoup recourent encore à la violence et à d'autres moyens plus insidieux, pour vaincre ou pour convaincre, aussi bien dans le domaine religieux que dans d'autres.

J'ai voulu citer quelques passages de la lettre du patriarche pour faire comprendre comment les aberrations peuvent être justifiées précisément au nom de la religion et de l'Écriture elle-même, devenant ainsi source de haine et de nouveaux conflits entre les peuples.

Entrer dans la connaissance de Jésus.

Mais nous, comment entrons-nous dans la connaissance de tout ce mal, propre à Jésus ? Comment Jésus est-il arrivé à connaître réellement le péché sous sa triple forme : individuel, collectif, rationalisé ?

Jésus l'a connu progressivement, en le sentant planer au-dessus de sa propre chair et sur la chair de ceux qu'il aimait.

Il en fit l'expérience concrète. Il connaissait évidemment dès le début, de façon abstraite, le mal qui provoque l'indignation de Dieu, mais il l'a vu peu à peu perpétré dans les trahisons humaines, dans les malhonnêtetés, dans toutes les formes d'usage illégitime des textes religieux contre lui pour le piéger et le mettre à mort. Jésus aussi a dû franchir un passage et nous sommes appelés à le traverser pour arriver à le connaître, lui et son salut. Un passage qui est habituellement pour nous traumatisant : il n'est pas facile, en effet, de s'apercevoir que le mal nous touche ou touche des personnes et des situations qui nous sont proches, avec son aiguillon maléfique ; il n'est pas facile de s'apercevoir que la méchanceté, la calomnie, la malveillance existent. C'est une expérience concrète, traumatisante, qui peut conduire à la dépression, à la perte de confiance, à l'isolement et à la fermeture.

C'est pourquoi il faut se poser la question : comment réagissons-nous face à la connaissance réelle du mal que nous causent des personnes en qui nous avons peut-être confiance, des groupes, des institutions, des réalités que nous avons estimées ? Il me semble que les réactions possibles sont pour l'essentiel au nombre de trois.

La première, plus instinctive, est la réaction dure, stoïque : faire front, feindre, nier que le mal nous touche. Mais à un moment donné, ce n'est plus supportable et se présente alors la réaction opposée.

Là nous trouvons la désaffection, la frustration, jusqu'à la fuite devant le mal, avec toutes les formes secondaires que cela peut prendre (l'accusation des autres, la perte totale de confiance dans les gens, les institutions, les personnes). Il s'agit d'une forme de retrait très dangereuse, qui conduit à se cacher, à rabougrir sa vie, à se renfermer amèrement en soi.

Entre les deux extrêmes, il existe une réaction moyenne, celle de Jésus pleurant sur Jérusalem. Lui n'est pas dur, n'est pas stoïque, il ne fuit rien, il ne se déprend pas des gens : Jésus aime et continue de les aimer, d'aimer le peuple pécheur, ceux qui se trompent et rationalisent leurs erreurs.

La lamentation est un ensemble de connaissance authentique et de compassion, de partage, de prise sur soi.

Tel est donc le vrai passage de la vie face au mal, aux désillusions, aux châteaux en Espagne qui se dissipent et s'écroulent : la prise sur soi du péché du monde, le ralliement à l'Agneau de Dieu qui, ayant pris sur lui le mal du monde, devient l'Agneau vainqueur sur la Croix.

JÉRUSALEM, CÉNACLE

Le passage de Jésus de ce monde à son Père

« Jésus, sachant que l'heure était venue de passer de ce monde à son Père » (Jn 13, 1). Je voudrais repérer là encore les lieux de transition, les passages de Jésus.

Jésus annonce son passage à son Père et Jean nous le fait percevoir à travers les gestes et les paroles du Seigneur. Il vit, pour ainsi dire mystiquement, ce passage avec le symbole du lavement des pieds et avec le symbole du pain et du vin offerts : symboles qui se présentent chacun leur tour et se concluent par le commandement de les réitérer (« faites vous aussi comme je l'ai fait, faites ceci en mémoire de moi »).

Le passage de Jésus.

Quels autres textes du Nouveau Testament font-ils allusion au passage de Jésus ?

On lit l'un d'eux dans le même contexte : « sachant que le Père lui avait tout remis entre les mains et qu'il était venu de Dieu et qu'il s'en allait vers Dieu » (Jn 13, 3). Il s'agit d'un aller et retour.

Rappelons en outre Luc 9, 31 : « Moïse et Élie parlaient de son départ, qu'il allait accomplir à Jérusalem. » Le passage est donc un exode.

Dans le récit de la dernière cène c'est un « départ » : « Le Fils de l'homme va son chemin selon ce qui a été arrêté » (Lc 22, 22).

Le même concept est exprimé dans les trois annonces de la Passion sous les mots « passion », « mort », « résurrection », qui sont toujours mentionnés, sauf dans la deuxième annonce de Luc où il n'est question que de la « passion ».

Des allusions plus fréquentes apparaissent dans le quatrième évangile. Jean 10, 17 est très important car il est relié au service du pasteur : « C'est pour cela que le Père m'aime, parce que je dépose ma vie, pour la reprendre. » Le passage est indiqué comme le don de sa vie pour la reprendre, ce qui est une caractéristique propre au bon pasteur.

L'évangile de Jean (12, 23-25) exprime le passage comme le destin du grain de blé qui tombe en terre, meurt et porte du fruit, autrement dit, perd sa vie pour la retrouver : « Voici venue l'heure où doit être glorifié le Fils de l'homme. En vérité, en vérité, je vous le dis, si le grain tombé en terre ne meurt pas, il demeure seul ; mais s'il meurt, il porte beaucoup de fruit. Qui aime sa vie la perd ; et qui hait sa vie en ce monde la conservera en vie éternelle. »

Le thème revient encore en Jean 17 : « Mais maintenant je viens vers toi et je parle ainsi dans le monde. » Paroles qui reviennent dans l'appel du Ressuscité à Marie Madeleine : « Va trouver mes frères et dis-leur : je monte vers mon Père et votre Père, vers mon Dieu et votre Dieu » (Jn 20, 17b).

Je résume les images de ces divers textes : « passer du monde au Père » signifie mettre fin à l'expérience terrestre et passer à l'expérience définitive ; cela signifie accomplir l'exode, passer de l'esclavage à la liberté ; en langage biblique et eschatologique, cela signifie mourir comme la graine pour ensuite ressurgir. Mais nous avons vu aussi une autre ligne d'images, celle du don de sa vie pour la reprendre, l'expérience du martyre, de l'héroïsme de celui qui offre sa vie ; comme aussi un autre type de langage : humiliation et glorification, passage de l'humilité à la gloire.

Il me semble que toutes ces métaphores soulignent que le

passage nodal de l'existence humaine n'est pas tellement la mort biologique, mais la prise en main de sa propre vie comme un tout pour la donner en un geste symbolique, en la mettant sur l'autel. Jésus exprime ce geste, qui non seulement anticipe le moment suprême de la mort et en vit la force de sacrifice et d'expiation, mais dit aussi la synthèse et l'intention d'une vie entière. C'est l'option fondamentale, c'est – dans le langage des *Exercices spirituels* d'Ignace de Loyola – l'ultime prière de la « contemplation pour obtenir l'amour » ; « Prends et reçois, Seigneur, toute ma liberté, ma mémoire, mon intelligence. » C'est l'option qui recueille les fragments de notre vie en l'unissant au passage du Christ à son Père, à la semence jetée en terre, au pasteur qui donne la vie. Le bon pasteur est celui qui accomplit le passage d'offrir sa vie pour ses brebis, et Jésus est ce pasteur-là.

Ce passage est pour nous la décision de consacrer à Dieu la totalité de notre existence de manière indivise.

Le symbole du lavement des pieds.

Le texte du lavement des pieds (Jn 13, 1-17) m'est très cher et a une incidence sur mon ministère pastoral.

Cet épisode marque le passage de Jésus au Père. La parole clé est probablement le verset 14 : « Si donc je vous ai lavé les pieds, moi le Seigneur et le Maître, vous aussi vous devez vous laver les pieds les uns aux autres. » C'est le passage de l'état de patron à celui de serviteur, du maître qui se fait le plus petit de ses disciples. Un passage compris dans le don de sa vie, mais spécifié sous la forme de l'humilité, du service, de la vie donnée en esprit de service.

À travers le geste simple et symbolique du lavement des pieds, Jésus déclare sa ferme volonté de servir jusqu'à mourir par amour de l'homme.

Le symbole de l'eucharistie.

Quel passage est-il indiqué par le signe du pain et du vin, lui aussi proposé au cénacle ?

Partons de l'évangile de Luc (22, 19-20) où Jésus rompt le pain et, l'offrant aux disciples, dit : « Ceci est mon corps, donné pour vous ; faites cela en mémoire de moi. » Cela rappelle le commandement d'anamnèse exprimé en Jean 12, 14. Puis, prenant la coupe il dit : « Cette coupe est la nouvelle Alliance en mon sang, versé pour vous. »

Et en Luc 22, 22 Jésus souligne : « Le Fils de l'homme va son chemin selon ce qui a été arrêté. » Il n'est pas facile de comprendre sous quel angle est considéré le passage dans le geste du corps offert et du sang versé, parce que c'est un symbole synthétique, une synthèse globale de tout l'être de Jésus en tant que Fils donné. Toutefois, si nous portons attention aux symboles spécifiques, je crois que l'on peut reconnaître, entre les divers aspects du passage, celui du prêtre qui se fait victime. Le pain et le vin sont deux matières qui, dans l'Ancien Testament, étaient offertes librement par le prêtre, mais comme une réalité autre que lui, qui lui restait extérieure.

Jésus prêtre, en revanche, s'offre lui-même sous les deux signes, et ce passage indicible est commenté par Jean (13, 1b) : « ayant aimé les siens qui étaient dans le monde, il les aima jusqu'à la fin » ; le prêtre s'implique personnellement pour les péchés du monde, il accepte d'en être broyé et brisé pour les racheter par son corps et son sang.

Dans l'Eucharistie, nous avons donc la concentration de tous les mystères rédempteurs. Et si nous voulions approfondir davantage la signification du geste du pain et du vin comme corps et sang du prêtre de la Nouvelle Alliance, du Fils donné, nous pourrions voir cette attitude réalisée dans les deux autres lieux du triangle fondamental de la géographie sacrée, du mystère chrétien : Gethsémani (« non ma volonté mais la tienne ») et la Croix (« entre tes mains je remets mon esprit »). Les trois pointes ou catadioptres du triangle doivent être contemplées ensemble, car elles s'allument et s'éclairent

chacune leur tour, formant la figure salvatrice du mystère, révé-
lant la manière dont la Trinité se manifeste historiquement dans
le Christ : du cénacle à Gethsémani et à la Croix s'accomplit la
révélation définitive de l'amour du Père, exprimée ensuite dans
la Résurrection.

JÉRUSALEM, GETHSÉMANI
Nécessité de l'épreuve

Chaque pointe du triangle sacré – cénacle, sépulcre, mont
des Oliviers – révèle le Dieu crucifié et est caractérisée par le
moment de la tristesse et celui de la joie : au cénacle, la dernière
cène et la Pentecôte ; au calvaire, la crucifixion, le tombeau
vide et l'annonce du Ressuscité ; au mont des Oliviers, l'agonie
et l'Ascension.

De quelque côté que nous entrions dans le mystère du
triangle sacré, nous retrouvons lumière et ténèbres, tonnerre et
éclairs, brouillard et éclaircies.

Les tentations de Jésus.

Jésus parle souvent de ses épreuves, il n'a pas peur
d'employer le mot : « Vous êtes, vous, ceux qui sont demeurés
constamment avec moi dans mes épreuves » (Lc 22, 28).

Les tentations ou les épreuves sont soulignées dès le début
de sa vie publique et, au terme de celles du désert, Luc note :
« Ayant ainsi épuisé toute tentation, le diable s'éloigna de lui
jusqu'au moment favorable » (Lc 4, 13).

Jésus exhorte ses disciples à prier ainsi : « ne nous soumets
pas à la tentation » (Lc 11, 4), comme pour nous indiquer que
l'épreuve est toujours aux aguets. L'exhortation à la prière est
répétée : « Priez, pour ne pas entrer en tentation » (Lc 22, 40) ;
et encore, quand Jésus s'est relevé pour s'approcher des

disciples, il leur dit : « Qu'avez-vous à dormir ? Relevez-vous et priez, pour ne pas entrer en tentation » (Lc 22, 46).

Jésus considère donc l'épreuve comme un moment important, grave, dangereux et à Gethsémani il prie ainsi : « Père, si tu veux, éloigne de moi cette coupe ! Cependant, que ce ne soit pas ma volonté, mais la tienne qui se fasse ! » (Lc 22, 42.)

Quel est l'objet, la signification de cette prière du Seigneur ? Elle demeure cachée dans le mystère de Dieu et nous avons du mal à en saisir le sens. L'auteur de la lettre aux Hébreux nous en fait certainement comprendre quelque chose par ces mots : « C'est lui qui, aux jours de sa chair, ayant présenté, avec une violente clameur et des larmes, des implorations et des supplications [sur la Croix, mais ici aussi, agenouillé, prostré à terre au milieu des oliviers, dans la nuit] à celui qui pouvait le sauver de la mort, et ayant été exaucé en raison de sa piété » (5, 7).

Il pria et il fut exaucé. Que disait Jésus, qui lui fut accordé en raison de sa piété, de son humilité filiale ? Si nous réfléchissons sur le texte de la lettre aux Hébreux et en même temps sur les pages des évangiles, nous comprenons qu'il ne demande pas d'être délivré de la mort (de fait, il n'en sera pas exempt). Lui-même affirme en Jean (12, 27) : « C'est pour cela que je suis venu à cette heure. »

Jésus demande, en revanche, d'être délivré de la peur de la mort, de la répugnance pour la mort, il demande la libération de tout ce blocage suscité par l'ensemble des sentiments diversement exprimés par les synoptiques. Matthieu parle de « tristesse et angoisse » (26, 37-38) ; Marc d'« effroi et angoisse » (14, 33) ; Luc d'agonie et d'une sueur devenue comme « de grosses gouttes de sang » (22, 44).

Tous ces sentiments négatifs induisent en tentation. Ce n'est pas la mort en elle-même qui fait peur, parce qu'elle est déjà contenue dans le dessein de Dieu, elle a déjà été accueillie, mais bien ces ondes de répugnance, de mélancolie, de frustration, de résistance qui brisent l'âme et empêchent de poursuivre sa route. Voilà l'épreuve, la tentation : la terreur, l'épouvante, l'angoisse, toutes les formes de l'émotion humaine qui tendent à bloquer et à refouler l'action, à se rebeller face au mystère de Dieu, à faire dire *non*.

Dans cette épreuve extrêmement rude, Jésus est réconforté, comme l'assure Luc, il est exaucé, comme l'affirme la lettre aux Hébreux, et ainsi il surmonte la tristesse et triomphe.

Quel passage marque l'épreuve pour Jésus et pour nous ?

L'épreuve de la répugnance, de la résistance intérieure, de la rébellion, de la volonté de se soustraire au mystère du Salut marque un passage absolument nécessaire. C'est l'épreuve par laquelle la personne humaine devient adulte, dépose la chrysalide de l'enfance, les rêves de l'adolescence, la recherche de soi, et approche de la clarté du dessein de Dieu. C'est un peu comme le grain de blé qui, en acceptant la mort, fait fleurir la terre.

Ce passage nous est présenté dans le symbole véritable et vivant qu'est Jésus, Jésus qui, en surmontant toute répugnance et tout dégoût, accueille pleinement et totalement la volonté du Père.

C'est le passage qui attend les disciples car il est nécessaire à leur ministère. Il nous attend peut-être par étapes, mais nous devons toujours regarder le moment caractéristique, fort, décisif de la vie de Jésus, vécu ici, à Gethsémani, à travers l'adoration et la prière insistante dans l'agonie et l'angoisse.

Les apôtres, en particulier Pierre, Jacques et Jean, apprennent que les moments de répugnance ne se surmontent pas seuls (Jésus lui-même ne les a pas affrontés seul !) ; ils ne se dépassent qu'en résistant, mais – comme le fait Jésus dès le début – en reconnaissant sa propre faiblesse (« mon âme est triste ») et en demandant de l'aide (« demeurez ici et veillez avec moi »).

Jésus donne lui-même la raison de son besoin d'aide et de prière : « L'esprit est prompt, mais la chair est faible » (Mt 26, 41). L'esprit voit, comprend quel est le chemin, mais la chair n'a pas la force ; c'est l'insistance dans la prière, vécue en communion avec ceux qui s'associent à ce mystère, qui permet de parcourir la route de Dieu.

JÉRUSALEM, SAINT-SÉPULCRE

Le don de l'ouverture de l'esprit

La compréhension du mystère.

Au chapitre 19 de son évangile, Jean nous offre deux clés de lecture de la compréhension globale du mystère, précédés par ces mots : « pour que vous aussi vous croyiez » (Jn 19, 35) ; son désir est donc que nous entrions dans le mouvement de foi que lui-même a vécu et qu'il a ensuite étroitement relié à la reconnaissance du tombeau vide.

Dans la basilique du Saint-Sépulcre, les lieux ne sont évocateurs que jusqu'à un certain point : on y trouve aussi confusion, distraction, superposition de voix. Il faut donc un saut de foi, une grâce de foi que seul le Seigneur peut accorder.

Qu'y a-t-il à voir ou à croire ?

L'évangéliste répond par une première citation : « pas un os ne lui sera brisé » afin que « l'Écriture fût accomplie » (v. 36). L'Écriture indique clairement l'Agneau de Dieu de l'Exode ; nous sommes donc dans le nouvel exode, le passage de l'esclavage à la liberté s'accomplit. Et l'Agneau, qui est signe, gage de ce passage, est l'Agneau qui enlève le péché du monde, dont Jean avait parlé au début de son évangile.

Ici le péché du monde est enlevé, ici l'esclavage du péché est éliminé et nous sommes rendus à la liberté ; grâce à l'agneau immolé notre destinée et celle de l'humanité changent.

Deuxième citation : « Ils regarderont celui qu'ils ont transpercé » (v. 7). Nous sommes peut-être renvoyés à une multiplicité d'Écritures, c'est-à-dire à cette esprit de piété et d'imploration qui sera répandu sur la terre selon la prophétie de Zacharie : « ils regarderont vers moi au sujet de celui qu'ils ont transpercé » (Za 12, 10). Le Seigneur dit : à moi qu'ils ont transpercé.

Une prophétie mieux entendue si nous la lisons au livre de l'Apocalypse : « Il vient avec les nuées, chacun le verra, même ceux qui l'ont transpercé, et sur lui se lamenteront toutes les races de la terre » (Ap 1, 7).

Nous sommes face au salut, pour Israël et pour le monde entier, à partir de Celui qui a été transpercé par la lance. Et ce salut deviendra le centre de la contemplation de l'humanité.

L'évangéliste Jean nous invite à contempler la gloire de Dieu, dont il avait dit dans son prologue : « nous avons contemplé sa gloire, gloire qu'il tient du Père comme Unique-Engendré plein de grâce et de vérité » (1, 14).

Dans le sang et l'eau qui coulent du flanc de Jésus nous lisons la plénitude de grâce et de vérité, la vie qui surgit de la mort, la communion de mort et de vie, la plénitude de la vie issue de ce mystère de cruauté.

Tout est contemplé dans le mouvement de la foi : la gloire de Dieu, Dieu à l'œuvre en Christ pour le salut des péchés. Comprenons donc qu'il ne s'agit pas du fruit d'un raisonnement, mais bien d'un don de foi.

L'ouverture de l'esprit.

Telle est la grâce d'unité, de contemplation globale que nous implorons ardemment de Dieu. Elle correspond au don dont nous parle la finale de l'évangile de Luc : « "Telles sont bien les paroles que je vous ai dites quand j'étais encore avec vous : il faut que s'accomplisse tout ce qui est écrit de moi dans la Loi de Moïse, les Prophètes et les Psaumes." Alors il leur ouvrit l'esprit à l'intelligence des Écritures » (Lc 24, 44-45). L'ouverture de l'esprit est le don que le disciple bien-aimé reçoit au pied de la Croix et que nous demandons humblement dans la prière.

Quel est donc le passage qui se produit en Jean au pied de la Croix et quel est le passage que nous demandons pour nous ?

C'est le passage d'un regard purement extérieur sur les événements joyeux et sur les événements douloureux ou cruels (comme celui du supplice d'un homme jusqu'à la mort) à une ouverture des yeux, qui nous permet de lire dans le Crucifié transpercé l'accomplissement des Écritures et le centre de l'histoire.

L'ouverture de l'esprit n'est pas un don simplement intellectuel, que nous obtenons en accumulant les textes dans notre mémoire et en les confrontant – même si cet exercice est important –, mais un don sapientiel ; c'est l'ouverture des yeux aveugles, la fusion de notre cœur endurci, un don qui est le fruit de la grâce du Crucifié et de l'Esprit répandu de son cœur sur nous.

II

JÉRUSALEM
VILLE ENTRE TERRE ET CIEL

Marcher ensemble dans la foi

Le style de ce « message d'installation » du nouvel archevêque semblera peut-être inhabituel. Il ne s'agit pas, en effet, d'un message proprement dit, c'est-à-dire d'une proclamation de principes qui, de toute manière, ne pourrait être autre que la proposition renouvelée du contenu central de la foi chrétienne, Jésus mort et ressuscité, salut de l'homme : en effet, « Jésus Christ est le même hier et aujourd'hui, il le sera à jamais » (He 13, 8).

Je parlerai donc de mes sentiments, de mes motivations et de mes attentes en arrivant parmi vous comme pasteur de l'archidiocèse de Milan.

Voici le premier sentiment avec lequel je viens à vous : la joie et la gratitude, parce qu'il m'est donné de participer à la richesse de cette Église. Richesse qui n'est pas un bien abstrait ou général, mais qui est donnée aujourd'hui par la foi vécue, par la prière, par la cordialité, par l'esprit de sacrifice, par la fraternité et par l'amitié de millions d'hommes et de femmes qui viennent et viendront me voir, prêts à un échange sincère de dons spirituels. À ces sentiments s'unit en moi une sérénité de fond, qui n'est pas fondée sur un optimisme facile ou naïf ou sur un aveuglement face aux moments graves et douloureux qui traversent notre société, mais bien sur les motivations qui me poussent à venir parmi vous pour associer ma vie à la vôtre. Ces motivations pourraient être résumées par les mots que l'auteur de la lettre aux Hébreux met dans la bouche de Jésus : « Voici, je viens, car c'est de moi qu'il est question dans le rouleau du livre, pour faire, ô Dieu, ta volonté » (He 10, 7).

On peut en inférer que j'entends accomplir ce geste d'obéissance « avec joie et non en gémissant » (He 13, 17). La grâce du sacrement a lié indissolublement mon existence à la prédication de l'Évangile et au service de l'Église, et spécialement de cette Église particulière. J'ai été associé intimement au Christ pasteur, qui offre sa vie pour ses brebis (Jn 10, 15), à Jésus qui a dit : « Aimez-vous les uns les autres comme je vous ai aimés. Il n'y a pas de plus grand amour que donner sa vie pour ses amis » (Jn 15, 14-15). Toutes ces choses donnent une signification profonde et gratifiante aux expériences que l'on vit jour après jour, même si elles peuvent parfois sembler monotones ou même banales, parfois très pesantes ou génératrices d'anxiété. Au-delà de tout cela il y a la signification fondamentale de notre vie, qui consiste dans la vie même du Christ, reçue à notre baptême, dans la justice et dans l'amour du Christ qui agissent en nous au service des frères et donnent un sens différent, joyeux, à tous les genres d'expériences ou de rencontres quotidiennes.

Vivre ensemble ces expériences, les exprimer dans la louange et dans la liturgie, les promouvoir en nous par la vie sacramentelle, nous les dire tour à tour dans un esprit de foi, constitue et promeut cette vitalité chrétienne que saint Paul a décrite dans la lettre aux Colossiens : « Que la Parole du Christ réside chez vous en abondance : instruisez-vous en toute sagesse par des admonitions réciproques. Chantez à Dieu de tout votre cœur avec reconnaissance, par des psaumes, des hymnes et des cantiques inspirés. Et quoi que vous puissiez dire ou faire, que ce soit toujours au nom du Seigneur Jésus, rendant par lui grâces au Dieu Père ! » (Col 3, 16-17.) De là naît le goût et l'élan de servir l'homme en tous ses besoins, des plus concrets et des plus évidents – la faim, le besoin de travail ou d'un toit – aux plus intimes et vitaux, comme le besoin d'affection et d'amitié.

Qu'est-ce que j'attends ? De toute évidence j'attends et je désire une correspondance, une résonance en vos cœurs du dialogue de foi qui s'exprimera par des paroles et des gestes dans la prière commune et dans la rencontre.

Par ailleurs, je ne me cache pas que les situations dans lesquelles nous sommes appelés à agir sont complexes et difficiles. Beaucoup de choses ne dépendent pas uniquement de nous ou de notre bonne volonté. Et il y a aussi les limites du tempérament, de l'éducation et ainsi de suite. C'est pourquoi il faut s'attendre aussi à des obstacles. Mais ceux-ci n'entravent pas la voie de la Parole de Dieu : nous savons même que l'Évangile a été proclamé dès le début dans des situations dramatiques et confuses. Jésus a agi en un temps et sur une terre lourds de malentendus, et il a payé de sa vie son courage à prêcher la Parole en de telles circonstances : rien ne peut arrêter la course de la Parole de Dieu. Jésus ressuscité vit en nous et continue en nous de prêcher son Évangile. C'est en pensant à ces choses que j'ai choisi pour devise épiscopale un mot de saint Grégoire le Grand dans la *Règle pastorale*. Il rappelle que Jésus a fui la requête de ceux qui voulaient le faire roi, mais s'est offert librement, en revanche, à ceux qui le cherchaient pour le faire mourir. Saint Grégoire en déduit que le pasteur doit « *pro veritate adversa diligere et prospera formidando declinare* » (pour la vérité aimer l'adversité et se méfier du succès). Il est vrai que chacun de nous est plutôt porté à faire le contraire de ce que nous dit saint Grégoire. Nous aimons le succès, nous désirons l'approbation de tous, la critique et la contestation nous perturbent. Seule la grâce de l'Évangile, celle qui triomphe de la peur de la mort, est capable de nous faire surmonter toute précaution humaine, en nous faisant contempler la vérité de Dieu manifestée en Jésus-Christ, rendue nôtre dans l'Esprit-Saint. L'Esprit transforme notre vie et nous rend capables d'aimer la vérité de l'Évangile au point de laisser de côté, pour son amour, la peur de ne pas réussir. C'est seulement à partir d'un cœur ainsi libéré qu'il est possible de pratiquer à fond la justice, d'aimer aussi ceux qui ne nous aiment pas, de saluer ceux qui ne nous saluent pas, de pardonner les offenses et de prier pour ceux qui ne nous comprennent pas ou s'opposent à nous. C'est cette vérité de l'Évangile qui nous libère de la pollution de la possessivité, de l'ambition et de l'orgueil, et nous rend capables de servir les frères avec promptitude et désintéressement.

Enfin, nous ne devons pas oublier que chaque problème de notre archidiocèse est lié à beaucoup d'autres problèmes qui préoccupent hommes et femmes de toute la terre. Dans l'effort pour résoudre les problèmes locaux, il faut donc tenir compte des situations universelles de pauvreté, d'injustice, de souffrance, dans lesquelles se trouvent de très nombreux frères dans toutes les parties du monde. En proclamant notre foi, nous devons tenir compte de toutes les situations de présence ou de carence de foi qui caractérisent l'Église universelle et tous les hommes qui cherchent Dieu ; tenir compte non seulement de la situation italienne ou européenne, mais du monde entier. Je mentionne en particulier le Proche-Orient, et en premier lieu la terre sanctifiée par la présence du Seigneur et, au-delà d'elle, les peuples de l'Asie, de l'Inde et de la Chine. Il faut élargir notre regard vers ces expériences nouvelles que l'humanité s'apprête à faire. Ce sont des expériences d'une connaissance de Dieu et de l'homme plus profonde, d'où apparaîtra plus clairement le sens de l'existence de chacun et le besoin d'unité de la famille humaine.

J'achève par cette vision de l'unité, et par la mention de trois villes qui me sont particulièrement chères, qui sont à la fois symboles et instruments de cette unité entre les hommes. La première est Jérusalem, telle que la Bible nous la présente, dans son histoire et dans son avenir, comme lieu de réunion pour tous les peuples, dans la vision de la Jérusalem qui descend du ciel. C'est à cette citoyenneté universelle, dans laquelle se manifeste la gloire de Dieu et la présence de son Christ que tous les hommes et toutes les femmes de ce monde sont appelés, pour se reconnaître frères et participants d'un dessein universel de salut qui nous réunit tous dans la réalité vivante du corps du Christ ressuscité. Tous tendent, consciemment ou inconsciemment, à cette fraternité définitive retrouvée.

Par la suite, dans l'histoire, un rôle particulier revient à la ville de Rome. En tant que siège de Pierre, elle est le signe et l'instrument concret de l'unité de tous les catholiques, et vers elle se tournent aussi, avec une confiance croissante, les regards d'autres croyants au Christ. Tout notre effort pour promouvoir la communauté entre les hommes s'appuie sur la puissance unificatrice que Jésus-Christ a accordée au pape, comme son charisme spécial au service de toute l'humanité.

Mais la troisième ville, notre Milan, a elle aussi dans ce cadre une fonction unificatrice incontournable. Elle a été, dans les premiers siècles de l'Église, un lieu de rencontre entre la théologie et la spiritualité de l'Orient et celles de l'Occident. Saint Ambroise a fait connaître et a adapté à la mentalité de son temps les grandes intuitions bibliques et théologiques d'Origène, de saint Basile, de saint Grégoire de Nazianze et de saint Grégoire de Nysse. La liturgie ambrosienne nous apporte aujourd'hui encore, par sa richesse de prières et ses mélodies, l'écho de cette fusion heureuse entre deux courants spirituels intenses. Par la suite, Milan a surtout fonctionné comme centre d'échanges et de confrontation entre les courants spirituels et d'action venus de l'Europe du Nord et le mode de vie et de pensée propre aux populations méditerranéennes. Cette fonction de lieu de rencontre et d'évaluation entre mentalités, cultures, modes de vie et d'activité différents demeure indispensable pour l'avenir et l'équilibre de l'Europe, et doit continuer de manifester également sa force créatrice et communicative, comme elle l'a fait dans le passé, pour les autres régions du monde. C'est seulement à partir d'une respiration universelle, capable d'évaluer chaque situation individuelle dans un cadre humain beaucoup plus vaste, et finalement cosmique, qu'il est possible de discerner avec sérénité et équilibre tout ce qui doit être fait de façon urgente et efficace en relation à la qualité de la vie, à la conservation et à l'amélioration du milieu, à la promotion culturelle et à l'entente mutuelle entre tous.

Jérusalem
histoire, mystère, prophétie

Question préliminaire : comment peut-on parler de Jérusalem ? « Jérusalem », pour citer Chateaubriand dans *Itinéraire de Paris à Jérusalem*, « dont le nom évoque tant de mystères, frappe l'imagination : ne semble-t-il pas que tout doive être extraordinaire, dans cette ville extraordinaire ? »

Je crois qu'une première prémisse est celle-ci : on ne peut parler de Jérusalem sans l'aimer. L'aimer de cet amour dont l'aima David, dans l'interprétation moderne de Carlo Coccioli, qui lui fait dire : « Ah ! si j'avais aimé Jérusalem, si je l'avais aimée en la contemplant de l'extérieur, si j'en avais été littéralement fou, fou d'amour, en jugeant de l'intérieur son indescriptible beauté. Il n'y avait certainement pas au monde de cité aussi désirable, écho enivrant d'une dimension spirituelle de l'espace, où le ciel s'abaissait vers la terre et l'épousait. Comment oublier Sion, l'incomparable ? »

Ou, pour l'exprimer par les mots d'un *midrash* : « Dix portions de beauté ont été accordées au monde par le Créateur, et Jérusalem en a reçu neuf. Dix portions de science ont été accordées au monde par le Créateur, et Jérusalem en a reçu neuf. Dix portions de souffrance ont été accordées au monde par le Créateur et Jérusalem en a reçu neuf. »

Parmi les questions qui marquent l'existence historique et problématique de tout homme et de toute femme de notre temps, en même temps que celles, dramatiques, concernant la guerre, l'amour, le pardon, la faim, etc., il y a certainement

aussi celle-ci : toi, que dis-tu de Jérusalem ? Dans quelle relation te sens-tu avec Jérusalem ?

Le « dossier » de Jérusalem est immense : biblique, rabbinique, philosophique, théologique, littéraire. De David à Dante
et Hegel, et jusqu'à nos jours, c'est un dossier sans fin.

Je voudrais faire une présentation de style quasi rhapso-
dique, à travers une trame de citations. Indiquer des pistes, des
questions, des lieux de recherche, des thèmes d'approfondissement possibles, pour répondre à la question fondamentale : toi,
que dis-tu de Jérusalem ?

Cherchons à ordonner la thématique autour des trois lignes
indiquées : Jérusalem, histoire, mystère et prophétie, même si,
bien sûr, une division rigoureuse de ces trois dimensions est
impossible.

L'HISTOIRE

Sous ce titre, nous entendons tout ce qui constitue l'histoire
vivante de la ville. Une histoire chargée de significations, une
histoire caractéristique, unique au monde.

Les lieux de la présence.

Il est intéressant de noter que, même au plan archéologique,
la recherche se concentre aujourd'hui sur deux pôles : l'identi-
fication des murs, avec leur histoire complexe et les diverses
étapes des enceintes politiques de la ville, et le lieu du Temple.
Une recherche menée selon des modules spatiaux, selon les
enceintes de la présence politique, du peuple, autrement dit les
murs, et de la présence religieuse, de Yahvé, autrement dit le
Temple. Ici déjà nous sommes en face de l'une de ces dualités,
ou bipolarités, qui émergent de tant d'aspects de l'histoire de
Jérusalem, et que l'on pourrait illustrer par une référence
biblique : « Est-ce toi qui me construiras une maison... ?

Yahvé t'annonce qu'il te fera une maison » (2 S 7, 5.11). À la maison concrète s'oppose la maison dynastique, au spatial le temporel. Heschel dirait : « Au Temple, Dieu préfère le temps » dans lequel l'homme habite avec lui. Cette ligne de dualité, dans laquelle le temps est ensuite qualifié moralement comme le cadre de l'engagement pour la justice, est la ligne qui réapparaît fréquemment dans le *kerygma* (l'annonce) prophétique avec la tension entre culte et obéissance : « L'obéissance vaut mieux que le sacrifice » (1 S 15, 22) ; « Que m'importent vos innombrables sacrifices !… Recherchez le droit » (Is 1, 11.17 ; voir Mi 6, 7-8 ; Os 6, 6 ; Ps 50) : le sacrifice demandé est celui du cœur, même si, à la fin, réapparaissent les sacrifices et les murs rebâtis. Cette dialectique est sans cesse présente dans l'histoire de la ville. Le primat temporel, existentiel, la présence de Dieu avec l'homme et l'homme qui chemine avec Dieu dans la justice et dans la sainteté, n'exclut pas mais éclaire la présence spatiale, celle par laquelle la gloire de Dieu se manifeste dans le Temple et habite dans les murs de la cité. Fondamentalement, on pourrait retenir à ce propos la réflexion faite par Salomon : « Mais Dieu habiterait-il vraiment sur la terre ? Voici que les cieux et les cieux des cieux ne peuvent le contenir, moins encore que cette maison que j'ai construite ! » Mais peu avant, Salomon disait : « Yahvé a décidé d'habiter la nuée obscure. Oui, je t'ai construit une demeure princière, une résidence où tu habites à jamais » (1 R 8, 27.12-13).

Infini, transcendance de Dieu, immanence de Dieu à Jérusalem.

Les rapports entre les deux aspects s'éclaireront dans le Nouveau Testament, mais sans arriver jamais, au moins dans l'espace temporel de l'existence humaine, à se neutraliser peu à peu. D'un côté Jésus accepte le Temple, dans sa fonction de « maison de prière » (Mc 11, 11 ; 15, 17), de l'autre il en prévoit la fin (Mc 13).

Paul aussi (Ac 21, 26 ; 24, 6.12.18 ; 26, 21) et la communauté primitive également (Ac 2, 46 ; 3, 1) fréquentent le Temple ; mais c'est là que Paul sera capturé et, à partir de ce moment, il semble que, dans les Actes, le Temple soit désormais perdu de vue, destitué comme lieu de la Présence, ou seulement comme lieu de la prière : il est devenu le lieu où Paul a été traîtreusement arrêté. Jean voit dans le Christ incarné (Jn 1, 14) le nouveau tabernacle de la *Shekinah (eskenosen)*, où nous contemplons la gloire de Dieu Emmanuel (Emmanuel, l'un des noms de Jérusalem, a été donné à Jésus ; voir Mt 1, 23). L'idée même du corps du Christ comme Temple est reprise sous l'angle pascal (Jn 2, 19-22 et aussi probablement Jn 19, 37, où le côté droit peut faire allusion à Za 12, 10, à l'eau qui jaillit du côté droit du Temple), c'est le Temple que Marc (14, 58) définit comme « pas fait de main d'homme ». On peut rappeler ici toute la polémique sur le Temple dans les Actes des Apôtres, chapitre 7. Le thème est également suggéré par la métaphore de la porte dans l'évangile de Jean, chapitre 10, 7-9 : Jésus est la médiation pour la communion avec Dieu, il est le sanctuaire où cette communion s'effectue. La porte et le Temple antiques sont désormais mis en pièces, comme le voile du Temple (Mc 15, 38) parce que le Christ, voie nouvelle (Jn 14, 6), est le centre du culte et qu'il est supérieur au Temple lui-même (Mt 12, 6).

Il y a donc une Jérusalem nouvelle, sans Temple.

« De temple, je n'en vis point en elle ; c'est que le Seigneur, le Dieu Maître-de-tout, est son Temple, ainsi que l'Agneau » (Ap 21, 22).

Au plan historique, ces différentes dualités s'affrontent, cette bipolarité antagoniste ou synthétique s'exprime de diverses manières dans la prédication prophétique et aussi dans le Nouveau Testament : d'un côté la cité de la paix, cité de la justice et de l'autre Dieu fidèle, Dieu présent ; ou encore : Dieu transcendant, Dieu absent et Dieu juge, Dieu vengeur, avec toutes les variantes possibles de cette dualité, qui marque les événements dramatiques des lieux de la présence du peuple et de Yahvé.

La ville disputée.

La destinée de Jérusalem en tant que ville disputée, commence vers l'an 1000 av. J.-C., alors qu'elle ne comptait sans doute pas plus de deux mille habitants. Son existence comme capitale pacifique, mais au milieu d'événements agités, dure quatre cents ans. Tout le reste de l'histoire est une succession d'invasions et de conquêtes : Égyptiens, Babyloniens, Perses, Ptoléméens, Séleucides, Romains, Arabes, chrétiens d'Occident, sultans égyptiens, turcs, et jusqu'aux événements les plus récents.

C'est en pensant à cette histoire qu'André Chouraqui, dans son ouvrage *Vivre pour Jérusalem* a écrit : « En vérité, c'est Babel, la monstrueuse triomphatrice de l'histoire, Babel des légions dévastatrices, Babel du pillage, du viol, du meurtre, Babel de toutes les morts. Babel triomphe dans toutes nos pollutions, tous nos bagnes, exulte dans les entrepôts où nous amassons les armes atomiques qui dévasteront demain l'adorable liturgie de la création. » Toutefois, même à travers ces événements dramatiques de tous les temps, Jérusalem fut, est et sera la terre de la rencontre.

Chouraqui poursuit : « Aux triomphes de Babel, Jérusalem est présente, enchaînée, aveugle, vaincue, mais vivante et présente. Pendant toute son histoire, Jérusalem est la ville martyre, la grande crucifiée. » De là, évidemment, naît l'espérance que chacun de nous vit chaque fois qu'il va en pèlerinage à Jérusalem, l'espérance que ce soit précisément en cette ville que l'on puisse reconnaître en tout homme notre frère, comme nous le suggère le psaume 87 (v. 5 et 7).

Jacquet écrit : « Toute nation, dans la mesure où elle reconnaîtra la suprématie du Dieu d'Israël, recevra de lui, en vertu d'un acte de sa libéralité, son brevet de citoyenneté hiérosolo-mitaine. À ses membres est offerte une inscription sur le registre des citoyens de la ville. Toute barrière levée, ils peuvent d'ores et déjà se considérer chez eux avec les juifs dans les murs de la ville. *"Non hospites et advenae, sed cives sanctorum et domestici Dei"* (Ep 2, 19), bénéficiant eux aussi des ressources spirituelles du yahvisme (Is 12, 3). »

Ce caractère idéal de Jérusalem, ville de la rencontre, patrie universelle, inspire un *loghion* extra-canonique de Mahomet : « Ô Jérusalem, terre élue de Dieu et patrie de ses serviteurs, c'est à partir de tes murs que le monde est devenu monde. Ô Jérusalem, la rosée qui tombe sur toi te guérit de tout mal, parce qu'elle descend du jardin du paradis. »

Mais il faut affronter le tragique dilemme ; la bipolarité historique, le dualisme réapparaît : ville de la rencontre ou simplement ville de la coexistence ? Ville où tant de personnes et de situations se côtoient, mais ne s'interpénètrent pas ?

Ici aussi la réalité peut avoir un témoin. Dans une conversation, David Shahar raconte ses expériences d'enfant né à Jérusalem et d'homme vivant à Jérusalem. Il dit (et c'est une expérience que nous avons tous faite) : « Jérusalem est un monde de coexistence, non de symbiose. Vous êtes là, par exemple, à la porte de Sichem et vous pouvez voir, les uns à côté des autres, un rabbin qui va prier au Mur, une fille en mini-jupe venant de son kibboutz, un musulman sur son âne et un moine grec. Je dirais qu'il n'y a aucune interpénétration. Chacun vit dans son monde ; il n'y a rien de commun entre le monde du rabbin et celui du moine grec : ce sont des mondes différents qui coexistent, l'un à côté de l'autre. Cela nous donne une ville de tensions terriblement fortes. Je le sens personnellement dans tous les domaines de la vie. Je ne parle pas seulement de la guerre entre nous et nos voisins. Je suis un homme très pacifique et, pourtant, je suis passé par cinq guerres. Je parle aussi de la communauté juive, au sein de laquelle il y a coexistence mais non interpénétration. C'est une tension permanente. Tension entre les pratiquants et les non-pratiquants ; tension entre communautés différentes. C'est une tension qui vibre sans cesse dans cette ville, et qui est toujours lourde de guerre. Cette ville unique et universelle. »

LE MYSTÈRE

Avec les phrases et les questions de Shahar, nous entrons dans le mystère de cette ville. Que signifient toutes ces réalités historiques que nous constatons et que nous ne pouvons nier, dont nous sommes en partie les témoins, dont nous nous réjouissons quand les aspects positifs l'emportent sur les négatifs, et dont nous nous attristons quand survient le contraire ? Que signifie tout cela en relation avec le mystère de paix, de prospérité, de joie, de justice et de fraternité que Jérusalem annonce par son nom même ?

En d'autres termes, nous pouvons nous dire ceci, en partant d'un point de vue spécifiquement chrétien : le fait que les événements décisifs du salut, de la mort et de la Résurrection de Jésus (et, dans la vision lucanienne, également la Pentecôte) se soient accomplis à Jérusalem, permet-il une conclusion quelconque sur la signification théologique permanente de la ville et sur l'impact que les situations douloureuses de son histoire peuvent avoir sur l'histoire du monde ?

Le Nouveau Testament a cherché de plusieurs façons à pénétrer ce mystère de Jérusalem. À cet égard, on jugera particulièrement riche la vision lucanienne du salut, salut annoncé à Zacharie à Jérusalem, dévoilé à Jérusalem avec Jésus au Temple, consommé à Jérusalem : « Voici que nous montons à Jérusalem et que s'accomplira tout ce qui a été écrit par les Prophètes pour le Fils de l'homme » (Lc 18, 31). Rayonnant à partir de Jérusalem, l'Évangile commence là (Ac 1, 8) et de Jérusalem il s'en va jusqu'aux extrémités de la terre. Jérusalem est le nouveau Sinaï de la Loi nouvelle de l'Esprit (Ac 2) et, au moins pour un certain temps, la prédication primitive à Jérusalem conduit à des affrontements périodiques (Ac 5 et, à sa façon, Ga 2). Toutefois, à partir d'un certain moment, on a l'impression que, pour l'Église antique, la mission de la Jérusalem historique s'ensable, n'apparaît plus ou ne persévère plus que sous des formes mineures, comme celle du pèlerinage.

Mais au fond, il y a aujourd'hui encore un constant retour à Jérusalem, et il est intéressant de noter que l'attrait de cette ville pour le chrétien augmente. Le chrétien lui-même s'entend dire : « L'an prochain à Jérusalem ! »

Pourquoi cela ? Est-ce seulement une mode, une nostalgie ? Ou y a-t-il quelque chose de plus ?

À ce propos, on s'est demandé, récemment encore, quelle signification théologique peut avoir la renaissance à Jérusalem d'une communauté de juifs chrétiens, circoncis, qui se déclare héritière du groupe primitif de Jacques, directement liée aux racines saintes de notre foi !

Tout cela nous fait réfléchir et ouvre des questions auxquelles il n'est pas facile de répondre. C'est justement à partir de cette mystérieuse permanence de Jérusalem, de la Jérusalem historique, théâtre des événements du salut, que naît, poursuivant la symbolique de l'Ancien Testament, une symbolique luxuriante que l'on pourrait définir comme une symbolique de la Jérusalem vécue et de la Jérusalem rêvée, déjà présente dans l'Ancien Testament et reprise dans la littérature rabbinique comme dans la littérature chrétienne.

Pour faire bref, on peut se référer à Misrahi pour donner une simple indication des symboles évoqués : pierre, eau, lumière, montagne, force, joie, épouse, éléments qui sont diversement repris par la littérature postérieure sur Jérusalem, en donnant à chacun d'eux une signification spéciale. La pierre, pas seulement à cause de ses collines rocheuses, ou l'architecture de pierre propre à Jérusalem, mais aussi parce que « pierre » représente les trois centres de la ville : la pierre du Mur des lamentations, la pierre de la Coupole, la pierre renversée du tombeau. C'est de là que l'on passe au symbolisme théologique du rocher, pierre du Seigneur, rocher et forteresse. Ainsi Jérusalem devient-elle expression de la foi, de la stabilité, de la solidité. Comme l'écrit un auteur juif, le prix Nobel Samuel Agnon, dans ses *Contes de Jérusalem* : « Son cœur souffrait de quitter Jérusalem, ville sainte, pour en sortir comme pour se précipiter dans la Géhenne. Il se disait : je suis venu jusqu'ici et je dois déjà m'en aller, je me fais l'effet d'un oiseau en vol, il vole et son ombre l'accompagne. » À côté du symbolisme de la solidité, du lieu où l'on se sent en sécurité, on trouve celui de l'eau. Voici le psaume 46, 4-5 :

> Lorsque mugissent et bouillonnent leurs eaux
> Et que tremblent les monts à leur soulèvement.
> Un fleuve ! Ses bras réjouissent la cité de Dieu,
> Il sanctifie les demeures du Très-Haut.

Et de l'emphase exigeante de cette richesse d'eaux (en réalité il n'y en a pas à Jérusalem) on passe au symbolisme de Yahvé, source d'eau vive à Jérusalem. Philon le soulignait déjà dans son *De somniis* : « Quelle est donc cette cité puisque la Ville sainte où se trouve le Temple est bâtie loin de la mer et des fleuves ? » Le sens est évidemment métaphorique. Philon poursuit : « En réalité l'eau du Verbe divin, coulant sans cesse, avec puissance et mesure, se répand à travers l'univers et atteint toute chose. »

Rappelons aussi le thème de la lumière, fondamental chez Isaïe comme celui de la montagne. Jérusalem apparaît non seulement pierre mais montagne : « le mont sacré, superbe d'élan, joie de toute la terre » (Ps 48, 3). Montagne, à la fois cime et fondement : « ses fondations sont sur les saintes montagnes. » Fondations et sommet en rapport avec le psaume 18 : « Dieu mon rocher, ma forteresse. » Aussi Misrahi va-t-il jusqu'à parler de Dieu comme symbole de Jérusalem : il dit que « si Jérusalem a un tel rayonnement, c'est parce qu'elle est symbole de Dieu. Si Dieu est tellement lié à Israël, peut-être est-ce parce qu'il est le symbole de Jérusalem ».

Un autre symbole exploité est celui de la « porte », « porte de l'espérance », qui, en relation avec les thèmes précédents indique une dynamique, un passage, une progression, une entrée et une sortie, également une fragilité, la fuite et l'exil et donc même la transgression.

« Entrer à Jérusalem, écrit Misrahi, c'est entrer dans le combat pour la justice, c'est assumer la responsabilité de la lutte. »

Cette entrée aura donc un débouché, une sortie : « de Jérusalem sortira la Loi. » Les usages qui sont faits de cette métaphore sont divers selon les situations ; mais tous se réfèrent à la potentialité quasi infinie de Jérusalem de représenter les divers aspects de la route de l'homme et du dialogue de l'homme avec Dieu.

Il y a enfin la symbolique de la « joie » : « La Jérusalem, haut plateau rocheux, est là où l'on danse l'allégresse de l'être, le jardin du roi, le jardin de l'être. L'Éden n'est pas à l'orient, mais au centre, et le centre (si l'on se réfère au Cantique des cantiques et aux Psaumes) est la symbolique de l'épouse. »

La Jérusalem du mystère, baignée par la présence salvifique de Dieu, assume des significations qui peuvent être lues dans tous les aspects de la vie et peuvent se référer à mille réalités de la recherche que Dieu fait de l'homme et du chemin de l'homme vers Dieu.

LA PROPHÉTIE

Que signifie s'interroger sur Jérusalem comme prophétie, que signifie s'interroger sur l'influence que le salut final, représenté par des images de Jérusalem, a sur le moment présent du salut et sur le chemin de ce salut ? Il faudrait évoquer ici tout ce qui est dit dans le Nouveau Testament, en particulier dans l'Apocalypse, sur la Jérusalem nouvelle, sur la cité qui vient de Dieu, la quintessence de toutes les attentes humaines, la ville où il n'y a plus ni pleurs, ni lutte, ni souffrance ; le lieu de la justice parfaite et de la parfaite liberté, le lieu où s'exprime la liberté des croyants (Ga 4, 26-31). Il est intéressant d'indiquer, par quelques citations, comment ces textes se prolongent, tant dans la réflexion rabbinique que dans la réflexion chrétienne.

La spéculation rabbinique sur la *Yerushalayim* apparemment duelle se mettait à réfléchir sur la cité duelle dans le temps et dans l'espace : Jérusalem céleste, Jérusalem terrestre ; Jérusalem d'aujourd'hui, Jérusalem de demain. Et elle cherchait à définir les divers rapports entre les deux Jérusalem : celle d'en bas, celle d'aujourd'hui, celle d'en haut, celle de demain, avec diverses harmonies et tensions entre le maintenant et l'à venir. Le chemin de l'homme ne devait pas être alors une simple recherche du temps perdu ou un tour à vide sur soi-même en quête de l'existence, mais un passage d'un présent à un futur, d'un en bas à un en haut qui donne signification à chaque moment de l'existence historique de l'homme.

Du point de vue chrétien les termes sont, évidemment, nombreux. Jérusalem peut être le terme du chemin, le point d'arrivée, comme l'écrit Chrysostome, commentant le psaume 48 : « Gardons en notre esprit la cité de Jérusalem : contemplons-la sans relâche en ayant sans cesse ses beautés devant nos yeux. C'est la capitale du Roi des siècles, où tout est immuable, où rien ne passe, où toutes les beautés sont incorruptibles. Contemplons-la pour devenir chaque jour plus affectueux avec nos frères et hériter ainsi le royaume des cieux. »

Cette image de Jérusalem comme le but, d'où découlent de nombreuses anticipations de la vie du peuple de Dieu en marche, est exprimée diversement par la théologie médiévale. Nous avons la triple distinction typique selon les trois sens de l'Écriture. Sion signifie *specula* ou *contemplatio*, écrit Raban Maur, et « désigne l'église de l'âme croyante ou la patrie céleste. Selon l'histoire elle désigne la nation des Juifs ou Jérusalem, selon l'allégorie elle est la sainte Église, selon l'analogie elle est la patrie céleste ».

Autre est le schéma double que présente Thomas d'Aquin dans son commentaire du psaume 45 : « Double est la cité de Dieu, l'une terrestre, à savoir la Jérusalem terrestre, l'autre spirituelle, et c'est la Jérusalem céleste. » Ici le discours devient plus complexe et plus difficile : avant saint Thomas déjà, saint Augustin avait tenté d'adapter le discours à la complexité de l'histoire, où cité terrestre et cité céleste se rencontrent en une sorte d'eschatologie réalisée. Alors s'affirment des noms divers pour les deux cités : Jérusalem et Babylone. Et cette présentation duelle est la même que nous trouvons au livre de l'Apocalypse.

Saint Augustin, dans le *Civitate Dei*, parlant des psaumes des montées (les psaumes 120 à 134) verra Jérusalem comme le point d'aboutissement de toute l'existence de l'homme : « Vous savez, mes frères, qu'un cantique des montées n'est autre qu'un cantique de notre montée, et que cette montée ne s'accomplit pas avec nos pieds, mais avec les élans du cœur. Courons donc, mes frères, courons. Nous irons à la maison du Seigneur. Courons, sans nous fatiguer car nous arriverons là où il n'y a plus de fatigue. » Et de là, de cette attraction permanente que Jérusalem exerce sur l'homme comme point d'arrivée, comme stimulant pour la route, comme clé pour l'interprétation des énigmes de l'histoire, de la complexité des tensions historiques qui agitent les hommes, naît une dernière réflexion : Jérusalem entendue comme tâche et comme défi.

La question posée au début de cette troisième réflexion sur la prophétie, celle sur l'influence qu'exerce sur le présent du salut et sur le chemin de l'homme le salut final représenté par des images de Jérusalem, peut aussi être renversée. Y a-t-il une fonction de la Jérusalem historique par rapport à la Jérusalem prophétique ? De quelle manière le réalisme de la Jérusalem historique et sa richesse multiple, mystérieuse et symbolique, est-il vécu dans la Jérusalem prophétique qui se construit dans le peuple de Dieu en marche ? Une attention plus grande à la Jérusalem historique et à son destin, à ses richesses et à sa corporéité, ne pourrait-elle mieux assurer au peuple de Dieu une complétude et une harmonie de valeurs, qui en fassent vraiment un corps du Christ immergé dans l'histoire ? L'appel à Jérusalem ne peut-il être un appel à une façon plus complète d'être homme et d'être Église ?

En ce sens, quelqu'un a parlé de blessures initiales dans la chrétienté primitive encore à guérir, pour que le christianisme retrouve, toujours mieux, sur son chemin dans le temps, la richesse de ses potentialités.

Et cependant, la question sur Jérusalem comme défi reste présente et dramatique, même en se référant seulement à la Jérusalem historique.

Le père Dubois qui, comme citoyen de Jérusalem, vit intimement cette réalité, cette souffrance et ces désirs, se demande dans son livre *Vigiles à Jérusalem* : « Comment situer l'une par rapport à l'autre, la valeur de signe et la valeur de réalité, comment accorder la dimension historique et temporelle avec la dimension d'éternité ? Plus précisément, puisque Jérusalem existe, et qu'elle n'est pas seulement dans les cieux : comment y être, y demeurer, l'occuper, la posséder ; comment y être soi, chez soi, et en même temps l'ouvrir au monde, à tous les hommes, comme une patrie spirituelle et universelle ? » Revient alors la question, posée à tout homme : « Toi, que penses-tu de Jérusalem ? »

La Parole dans la ville

Il n'y avait qu'une seule grande ville en Palestine au temps de Jésus. Ou en tout cas, c'était la seule qui comptait aux yeux des Juifs, lesquels regardaient en revanche avec peu de bienveillance les autres villes d'origine plus récente et de culture purement païenne, comme Césarée maritime, capitale administrative de la région, ou Tibériade, sur le lac du même nom, ville dans laquelle Jésus n'a probablement jamais mis les pieds.

Le rapport de Jésus avec la ville est donc lié uniquement au nom de cette localité prestigieuse et antique, associée par la tradition aux personnages patriarcaux d'Abraham et de Melchisédech, au sacrifice d'Isaac, au courage de David et à la sagesse de Salomon : Jérusalem.

« Si je t'oublie Jérusalem, disait le poète, que ma langue s'attache à mon palais, que ma droite se dessèche si je ne mets Jérusalem au plus haut de ma joie ! » (Ps 137, 5-6.)

L'entrée de Jésus à Jérusalem assume la signification de la rencontre de Jésus avec ce qui était pour les juifs la ville par excellence, celle que les Arabes appellent encore aujourd'hui « la sainte », la cité de la promesse et de l'espérance.

Les évangiles synoptiques parlent d'un seul contact de Jésus avec Jérusalem, celui des derniers jours de sa vie, soulignant ainsi l'importance dramatique et également symbolique de cette rencontre.

Pour nous aujourd'hui, pour qui la grande ville, la mégalopole, est devenue un peu le symbole de notre mode de vie, des problèmes et des contradictions de notre temps, cette rencontre assume la valeur d'un questionnement sur notre propre mode de vie.

Des questions se présentent comme les suivantes : Jésus a-t-il compris la ville ? La ville s'est-elle sentie comprise par Jésus ? Quelle est l'attitude de Jésus envers la ville ?

La première question ne doit pas être mal interprétée : il ne s'agit pas de nous demander si Jésus avait ou non la capacité de comprendre le mystère enfermé au cœur de toute ville. L'évangile de Jean note que, lors de la première visite de Jésus à Jérusalem pour la Pâque, « beaucoup, voyant les signes qu'il faisait, crurent en son nom » ; et il ajoute que « Jésus ne se fiait pas à eux, parce qu'il les connaissait tous et qu'il n'avait pas besoin d'un témoignage sur l'homme : car lui-même connaissait ce qu'il y avait dans l'homme » (Jn 2, 23-25).

Le problème est donc autre, c'est celui de la façon dont Jésus va à la rencontre d'une ville, où il sait que se trouvent hostilité et préjugés, tensions, violences et menaces, une ville qui va le rejeter.

La façon d'entrer de Jésus n'est pas peureuse, méfiante, réservée, prudente, mais ouverte, bienveillante et conciliante. « Sois sans crainte, fille de Sion ! » dit l'évangéliste en commentant l'entrée de Jésus, « voici que ton roi vient, monté sur un petit d'ânesse » (Jn 12, 15). L'expression « fille de Sion », dans sa tendresse, désigne la ville comme une fille, une femme à aimer. Le roi entre dans la sobriété et la simplicité, tout comme mille ans plus tôt était entré, plein d'espérance et de promesses, Salomon, le roi de la paix. « Sois sans crainte, fille de Sion, parce que moi non plus je ne te crains pas, dit Jésus, et je n'accepte pas que l'on te juge comme une cité étrangère, invivable. Je t'aime et je viens à toi avec amour ; ne crains pas. » Ce que Jésus a fait pour sa ville, en y entrant avec bienveillance, ouverture et sans armes ni préjugés, je pense qu'il le ferait et le fait pour toutes nos grandes villes modernes.

Ici surgit l'autre question : la ville s'est-elle sentie comprise par le Seigneur ? Comment lui a-t-elle répondu ? L'évangile nous dit que la grande foule rassemblée pour la fête « apprit que

Jésus venait à Jérusalem, prit les rameaux des palmiers et sortit à sa rencontre en criant : "Hosanna ! Béni soit celui qui vient au nom du Seigneur et le roi d'Israël !" » (Jn 12, 12-13.) Nous ne savons pas si la foule de ceux qui répondirent ainsi à l'arrivée de Jésus fut importante par rapport à la multitude immense qui habitait alors la ville. Et l'évangile note même que c'était une foule « venue pour la fête », dont beaucoup arrivaient donc aussi de Galilée, de la campagne, de ces réserves de foi et de sainteté que la ville a toujours eues. Mais il y avait certainement aussi des gens de la cité. Et tous ceux qui acclamaient le faisaient au nom de la ville qu'ils aimaient et à laquelle ils se sentaient liés par une histoire millénaire. C'est donc l'âme d'un peuple qui allait à la rencontre du Christ. Les gens simples de Jérusalem qui agitaient des palmes et des branches d'olivier devant Jésus, buvaient largement à la source des glorieuses traditions prophétiques d'Israël : ils étaient ceux-là que Luc définissait comme « tous ceux qui attendaient la délivrance de Jérusalem » (Lc 2, 38).

Jérusalem

VERS JÉRUSALEM
MONTENT LES MULTITUDES DU SEIGNEUR

« Lectio » du psaume 122.

Dans le texte hébraïque, ce psaume porte le titre : « Cantique des montées », qui caractérise une quinzaine de psaumes (du psaume 121 au psaume 135), dits aussi « Cantiques du pèlerinage ». Ils ont été réunis peu à peu pour servir de cantiques aux pèlerins de Jérusalem, car ils ont cette commune destination.

Dans la version originale, le 122 est aussi le premier des quinze qui soit attribué à David, avec les deux suivants ; des autres, l'un est attribué à Salomon et les restants sont anonymes. Il y a certainement un motif à cette attribution, même si on ne la juge pas authentique et historique, car le psaume aurait été écrit plus tard, quand le pèlerinage à Jérusalem était devenu une habitude.

En tout cas, David est le fondateur de la cité, et le psaume 122 présuppose le personnage de David. C'est là que s'élève le trône de justice, le trône de David (voir le verset 5). Probablement, quand il parle de Jérusalem comme d'une ville « où tout ensemble fait corps », le psalmiste entend-il évoquer la ville reconstruite après l'exil, qui devient ainsi la gloire et la joie d'Israël.

On peut dire que l'attribution du psaume à David est de toute manière fondée, car elle témoigne d'un grand amour pour la cité construite par lui comme capitale de son peuple.

Quels sont les éléments constitutifs du psaume ?

Notons avant tout une inclusion, c'est-à-dire une formule qui apparaît au début et à la fin du texte : « maison du Seigneur » (v. 1), « maison du Seigneur notre Dieu » (v. 9). Il est intéressant d'observer qu'entre deux on ne parle plus de cette maison, mais plutôt de la ville ; cela signifie que Jérusalem est vue d'abord comme le lieu du Temple, et ensuite aussi comme l'ensemble d'une ville.

Un autre de ces éléments est la triple mention de Jérusalem (v. 2, 3, 6) ; à propos de ses portes, de ses murs, de ses palais. Trois fois nommée, dessinée par trois caractéristiques et en outre interpellée à la deuxième personne : « dans tes portes », « paix à ceux qui t'aiment ».

Voici encore un élément structurel du psaume : Jérusalem est considérée comme un lieu de paix. Le mot revient bien quatre fois : « appelez la paix sur Jérusalem… paix à ceux qui t'aiment… que la paix règne dans tes murs… paix sur toi ». Le jeu de mots est évident : « Jéru*salem* » était interprétée comme la « cité du *shalom* », de la paix : que la paix règne dans la cité de la paix, demandez la paix pour la cité de la paix.

Enfin, le psaume est caractérisé aussi par d'autres répétitions qui lui impriment un très beau rythme poétique : les tribus, les tribus du Seigneur… les sièges du jugement, les sièges de la maison de David.

On y pressent, même si on ne peut aller jusqu'au bout du rythme original, ce souffle qui en fait un poème, un cantique, quelque chose qui naît du cœur et, à travers des rythmes, des répétitions, des assonances (il y en a beaucoup dans le texte hébraïque) met en lumière une âme amoureuse de Jérusalem.

En tenant compte des éléments formels que j'ai rappelés, cherchons à comprendre la structure logique du psaume, facilement divisible selon les étapes d'un pèlerinage.

Un pèlerinage fait d'abord l'objet d'une décision. Imaginons que le psaume soit chanté par un groupe de pèlerins qui arrivent aux portes de la ville ; ils doivent s'arrêter pour accomplir

certaines démarches administratives prévues avant d'y entrer ;
là, ils se reposent et contemplent la ville. En la contemplant, ils
repensent au début de leur route, au moment où ils ont décidé
de partir, et c'est le verset 1 : « Quelle joie quand on m'a dit :
"Allons à la maison du Seigneur !". »

Après ce début, on passe immédiatement à l'arrivée : maintenant nous y sommes, « enfin nos pieds s'arrêtent dans tes
portes, Jérusalem » (v. 2).

Au verset 3, Jérusalem est contemplée de l'extérieur,
admirée comme une construction solide et compacte, où tout
ensemble fait corps. C'est une allusion à la ville sur la
montagne, qui donne une impression de compacité (sur le
rocher), et en même temps à la situation spirituelle de la ville,
solide car fondée sur le Seigneur, unifiée par l'Esprit de Dieu.

Ainsi Jérusalem est-elle contemplée dans ses caractéristiques et dans son rôle (v. 4-5). Il s'agit en somme d'une
réflexion sur le plan moral : Jérusalem est but de pèlerinage, lieu
de culte, de louange, de témoignage de la gloire de Dieu, centre
administratif et politique : « les sièges du jugement, les sièges
de la maison de David », maison à qui la perpétuité fut promise.
C'est donc un centre religieux et un centre administratif et politique, que l'on regarde avec confiance pour tous les bienfaits
attendus de la responsabilité politique qui lui incombe.

Puis, en partant du verset 6, voici la prière, que l'on peut
envisager à deux chœurs : « Appelez la paix sur Jérusalem. »
Celui qui a exprimé sa joie, peut-être le chef du pèlerinage,
invite alors ses compagnons pèlerins : « Appelez... ». Et le
chœur répond, en paraphrasant notre traduction : « Paix à ceux
qui t'aiment ! Que la paix règne dans tes murs, le bonheur dans
tes palais » (v. 7). Le chef, ensuite, reprend seul : « Pour
l'amour de mes frères, de mes amis, laisse-moi dire : "paix sur
toi !" » Pour l'amour de la maison du Seigneur notre Dieu, je
prie pour ton bonheur » (v. 8-9). Ici revient l'interpellation de
Jérusalem par le « tu », comme cette personne amie que l'on
rencontre et à qui l'on souhaite le bonheur et la paix.

Deux chœurs donc, ou plutôt un soliste et un groupe.

Sur l'époque où le psaume a été écrit, j'ai déjà évoqué une

hypothèse : le temps après l'exil, quand le Temple est reconstruit et que le peuple va en pèlerinage à la Ville sainte, seul
symbole qui demeure de l'unité d'Israël.

« Meditatio » du psaume 122.

Pour relire le message, diverses pistes, diverses lignes sont
possibles. J'en ai choisi quatre : une lecture historico-existentielle (messianique) ; une lecture plus spécifiquement chrétienne ; une troisième, personnelle, qui concerne chacun
d'entre nous.

Les éléments d'une lecture historico-existentielle sont les
grands symboles du chemin des hommes contenus dans le
psaume, qui valent pour tous les temps, tous les lieux et toutes
les cultures.

Il en est deux principaux. Le premier est le pèlerinage,
mentionné non en tant que thème spécifique, mais dans sa prise
de décision et sa réalisation. C'est un grand symbole du chemin
de l'homme, de la vie de l'homme et de l'humanité, de la vie
de tous les hommes et de toutes les femmes, considérés comme
une collectivité.

Ce symbole nous en prévient : si la vie humaine est entendue
comme un pèlerinage, alors ce n'est pas une errance sans but
ni une fuite du paradis, privée d'espérance ; au contraire, c'est
un cheminement vers un terme. Nous avons déjà là une ouverture extraordinaire pour accueillir l'existence humaine comme
une réalité ayant un sens précis. Et quand nous avons reconnu
qu'elle a un sens et un but, la joie peut éclater : « Quelle
joie… ».

Jérusalem est l'autre symbole, c'est le but même du chemin.
Un symbole universel car il s'agit d'une ville, d'un lieu de
rencontre, un lieu de relations multiples, où les différences se
rencontrent. L'humanité ne va donc pas vers une dispersion,
une Babel confuse, mais vers un lieu dans lequel tous se
rencontreront, se comprendront, entretiendront des rapports
mutuels.

Cette ville est solide, elle ne déçoit pas. Le thème du salut est le plus repris par le Nouveau Testament, qui ne cite pas explicitement le psaume 122 mais en reprend le contenu : on va vers une ville solide, bien bâtie, compacte, où tout est unité. C'est là le terme du chemin de l'homme.

Et c'est aussi le lieu de rencontre harmonieuse et ouverte avec Dieu, où Dieu est loué, et où il y a de l'ordre, car là où se trouve le siège du droit et de la justice, la loi est respectée. L'humanité va vers un lieu où la justice, celle de Dieu, non la nôtre, triomphe.

Où, surtout, l'humanité espère vivre l'idéal de la paix et de la sécurité : « Appelez la paix sur Jérusalem, la paix soit sur toi et la tranquillité dans tes murs, la sécurité dans tes maisons. »

L'humanité est ainsi définie comme celle qui aspire à une telle cité, qui va vers elle et qui, marchant dans la confiance d'être conduite jusqu'au but, y trouve l'espérance. Une vision très positive, donc, et qui tire à conséquences pour la façon de cheminer des peuples.

De cette vision naît aussi une certaine patience historique : il nous revient d'en poser les prémisses afin que l'on marche toujours mieux vers la cité harmonieuse, unie, capable de louer l'Éternel, de vivre l'ordre de la justice.

Une lecture chrétienne nous fait tout de suite penser à Jésus, qui a vécu profondément la joie du psaume 122. À douze ans déjà il s'était exclamé : « Quelle joie j'ai éprouvée en entendant mes parents me dire : "allons à la maison du Seigneur !" » Et sans doute l'a-t-il chanté cette première fois-là aux portes de Jérusalem, et ensuite chaque fois, jusqu'au dernier pèlerinage, lorsqu'il s'approcha de la cité sainte en pleurant : « Oh, si toi aussi tu avais su, en ce jour, comment trouver la paix ! » Dans son texte grec, le psaume emploie l'expression *eritesate de ta eis eirenen* (v. 6) reprise du Nouveau Testament : si tu reconnaissais ce qui concerne la paix de Jérusalem.

Jésus a donc chanté ce psaume dans la joie et dans la douleur, sachant que sa souffrance était le pain de la route de Jérusalem et de l'humanité vers la paix.

Partant de la lecture qu'en a faite Jésus, demandons-nous si le psaume 122 résonne aussi dans les écrits apostoliques néotestamentaires. Il ne me vient pas à l'esprit de citations précises, mais toutefois le thème de la ville solide – évoqué plus haut – est très présent.

Ep 2, 19-20. 21-22 : « Ainsi donc, vous n'êtes plus des étrangers ni des hôtes ; vous êtes concitoyens des saints, vous êtes de la maison de Dieu. Car la construction que vous êtes a pour fondations les apôtres et prophètes... En Jésus toute construction s'ajuste et grandit en un temple saint, dans le Seigneur ; en lui, vous aussi, vous êtes intégrés à la construction pour devenir une demeure de Dieu... »

Ce thème est fortement pénétré de l'esprit de Paul, qui en fait un symbole interprétatif de la croissance de la communauté chrétienne, réalité édifiée comme la ville du psaume.

L'aspect de pèlerinage vers une telle ville est particulièrement présent dans l'épître aux Hébreux, chapitres 11 et 12 : Abraham a pu partir et tout laisser car « il attendait la ville pourvue de fondations dont Dieu est l'architecte et le constructeur » (11, 10) ; « Ceux qui parlent ainsi font voir clairement qu'ils sont à la recherche d'une patrie » (11, 14), ce sont des pèlerins sur la terre ; « Et s'ils avaient pensé à celle d'où ils étaient sortis, ils auraient eu le temps d'y retourner. Or, en fait, ils aspirent à une patrie meilleure, c'est-à-dire céleste. C'est pourquoi, Dieu n'a pas honte de s'appeler leur Dieu ; il leur a préparé, en effet, une ville... » (11, 15-16).

Et encore : « Mais vous vous êtes approchés de la montagne de Sion et de la cité du Dieu vivant, de la Jérusalem céleste » (12, 22) – le renvoi à l'eschatologie est direct. De la cité qui fait partie des choses inébranlables, « subsistent les réalités inébranlables. Ainsi nous recevons la possession d'un royaume inébranlable » (12, 27-28).

Résumons quelques résonances que nous avons tirées du psaume : l'homme est en marche, pèlerin vers une ville solide, compacte, où Dieu est loué, dans laquelle se trouve la plénitude de la paix, une ville qui ne déçoit pas et pour laquelle il vaut la peine d'abandonner les autres.

Dans la spiritualité du Nouveau Testament, on trouve en outre la pensée de la multitude, de toutes les tribus de la terre. Les multitudes montent maintenant vers cette cité, et toutes sont appelées « les multitudes du Seigneur ».

Ainsi, la lecture chrétienne devient-elle lecture ecclésiale : l'Église n'est pas le but, la grande ville, elle est un peuple en marche vers cette ville.

Si Israël témoigne « là » de ta gloire, Seigneur, si le siège de justice est « là », nos centres d'intérêt sont-ils vraiment « là » ? Et le « là » de cette ville vers laquelle nous cheminons est-il notre critère de jugement historique ? Car s'il est là, alors toutes les autres réalités sont relatives, tous les événements (historiques, sociaux, politiques, culturels, ecclésiaux) sont évalués selon qu'ils répondent à une marche vers la ville compacte, pacifique, juste, ou au contraire qu'ils ralentissent où font dévier cette route.

Donc, interrogé sur ses espérances, le chrétien devrait répondre spontanément : mes espérances sont dans la Jérusalem céleste, « là » sont mes espérances. C'est le « là » de la plénitude d'action de Dieu dans son peuple, dans l'humanité.

La lecture plus personnelle ouvre un espace à beaucoup de réflexions. Pensons aux pèlerinages que chacun de nous a faits à Jérusalem, durant lesquels il a probablement chanté, évoqué, récité le psaume 122 en vue des murs de la ville. Dans la prière, nous pourrons remercier le Seigneur pour les expériences qu'il nous a accordées dans nos pèlerinages, pour ce qu'il nous a fait comprendre sur Jérusalem. Chaque fois que nous revoyons ses murs, nous éprouvons une très forte émotion. Et si nous ne sommes jamais allés à Jérusalem, comment imaginons-nous le pèlerinage vers la cité sainte, comment le vivons-nous dans la prière ?

« Allons avec joie ! » le mot qui exprime la tension vers le pèlerinage, équivaut à dire : je savais que ce moment viendrait et je pense à ce que j'ai désiré depuis toujours.

Conclusion.

De quelle façon la Jérusalem d'aujourd'hui participe-t-elle, dans sa destinée douloureuse et tragique, aux bénédictions de Dieu, aux promesses de paix ?

Elle y participe avant tout à travers notre infatigable prière pour sa paix, nos prières pour la ville réelle et symbolique que nous connaissons, dont nous touchons les murs : la paix soit dans tes murs !

Demandons-nous si et comment nous agissons pour la paix de Jérusalem, dont la paix est symbole, signe, racine et cause de la paix de tant d'autres villes.

Le psaume 122 nous engage donc à prier et à agir pour la paix dans la justice.

LA JÉRUSALEM CÉLESTE
ET LA JÉRUSALEM HISTORIQUE

La Jérusalem céleste (Ap 21, 1 - 22, 5).

Nous sommes dans la dernière partie de l'Apocalypse, consacrée à la description de la Jérusalem céleste, qui sera suivie de la conclusion. Le nouvel ordre des choses, instauré par la mort et la Résurrection du Christ, est désigné à travers deux grands faisceaux de symboles.

Ceux de la création et du paradis de Genèse 1-2, où l'on parle de « ciel nouveau », « terre nouvelle », « toutes choses nouvelles ». Le prophète Isaïe annonçait « une chose nouvelle » (43, 19), qui devient ici « toutes choses nouvelles », la nouvelle création (« l'univers nouveau » dans la BJ). Au thème sont associés les symboles du fleuve dans le paradis, de l'eau qui sourd, de l'arbre qui donne la vie (voir Gn 2) et aussi ceux de la cité nouvelle, décrite par Ézéchiel aux chapitres 40 à 48 (résonnent aussi des passages du Deutéronome et de Zacharie), qui est sans temple, car elle est tout entière temple, et temple meilleur, demeure de Dieu. Donc, deux faisceaux de symboles : de la création, et de la restauration d'Israël comme cité nouvelle.

Je voudrais souligner trois moments de cette présentation : le moment du contraste, le nouvel ordre des choses et les symboles les plus spécifiques de la cité nouvelle.

Le moment du contraste.

Le contraste est évoqué dès le début par ces mots : « Puis je vis » et, ensuite, par : « et je vis descendre du ciel ». Il ne s'agit pourtant pas d'une première vision, car elle fait partie des visions décrites dans les versets précédents qui annoncent la disparition de tous les éléments négatifs de l'histoire (voir Ap 20), récapitulés dans la mort et dans les enfers.

Cette disparition, annoncée peu avant, est reprise dans notre passage : les larmes disparaîtront, il n'y aura plus ni mort ni lutte ni cris ni lamentations car l'ancien monde s'en est allé (21, 4) ; les lâches, les renégats, les dépravés, les assassins, les impurs, les idolâtres n'entreront pas dans le nouvel ordre des choses (v. 8).

Est donc proclamé ce jugement de Dieu qui est le début du nouvel ordre des choses, jugement formulé sur le fondement de deux critères : les œuvres accomplies, inscrites dans le livre, et l'initiative salvifique divine exprimée par l'image de l'inscription au livre de la vie.

C'est pourquoi les versets immédiatement précédents, rappelés au chapitre 21, versets 4 et 8, et aussi dans d'autres chapitres, présentent cette prémisse de la vision de Jérusalem, de la cité nouvelle, fond de tableau de la destruction du mal opérée par la Croix du Christ, destruction du mal qui est le fruit positif de la Croix. La Croix a mis hors-jeu l'univers spirituel constitué par la rébellion contre Dieu, en permettant la naissance d'un ordre nouveau et d'un nouvel univers de valeurs décrites à partir du commencement du chapitre 21.

Le nouvel ordre de choses.

On peut lire le nouvel ordre de choses au chapitre 21, versets 1 à 5, et il est présenté par ces mots : « ciel nouveau et terre nouvelle » (« Au commencement Dieu créa le ciel et la terre », Gn 1, 1). C'est un nouvel ordre spirituel et moral, dans lequel nous sommes embarqués. Et la chose nouvelle est aussi la Ville sainte, la Jérusalem nouvelle, symbole du nouvel ordre de grâce et de miséricorde instauré par Dieu. La cité descend du ciel parce que le nouvel ordre est purement gratuit, qu'il n'est pas l'œuvre des hommes, mais de Dieu qui l'accomplit et le donne.

C'est une ville, mais elle est aussi une jeune mariée parée pour son époux, prête pour les noces, aussi belle que l'épouse dont parlait Ézéchiel au chapitre 16, verset 8 et suivants, avec des vêtements brodés, des chaussures de cuir fin, un bandeau de lin et un manteau de soie, parée de bijoux. Ainsi est imaginée cette jeune mariée qui, dans l'Apocalypse, est vraiment et pleinement fidèle.

Et le mariage, qui fait partie de l'ordre nouveau, est l'Alliance rappelée au verset 3, où est évoqué le Lévitique, chapitre 26, verset 11 (« J'établirai ma demeure au milieu de vous »), ainsi que d'autres passages de l'Ancien Testament sur l'Alliance, pour donner cette vision d'ensemble : Dieu demeurera parmi eux, ils seront son peuple et il sera Dieu-avec-eux.

Face à cette vision, nous nous demandons ceci : concerne-t-elle le présent ou l'avenir ? Ces paroles sont-elles accomplies ?

Au verset 6, il est écrit : « C'en est fait. » Toutefois, on pourrait penser à une anticipation prophétique, à un passé qui contemple le futur.

En réalité, selon le principe herméneutique, je lis ici beaucoup plus volontiers la description de ce qui est accompli dans la mort et la Résurrection de Jésus. Ce n'est donc pas un nouvel ordre de choses qui viendra, mais un ordre qui est et qui vient et dans lequel nous sommes déjà tous impliqués.

Nous sommes déjà dans l'Alliance, nous sommes déjà la cité nouvelle qui descend du ciel, nous sommes déjà la jeune mariée prête pour l'époux, mais pas encore en plénitude ; dès maintenant, dans la Passion et la Résurrection du Christ, tout est accompli et s'accomplit en ceux qui sont en lui.

Quelques symboles de la cité céleste.

Les symboles de ce nouvel ordre de choses sont exprimés surtout dans ce qu'on appelle la deuxième description de la Jérusalem céleste, qui commence au verset 9.

Il semble presque que l'on se trouve devant un doublon, car on nous représente à nouveau la cité qui descend du ciel ; l'auteur final ne s'en soucie pas : il croit même devoir répéter des choses déjà dites pour bien faire pénétrer dans les consciences que nous sommes dans une réalité nouvelle instaurée par le mystère pascal du Christ.

Au verset 10, la cité sainte « qui descend du ciel, de chez Dieu » est contemplée par le voyant alors qu'il se trouve « sur une montagne de grande hauteur ». Dans les versets suivants, sur le symbole de base de la cité se développent au moins cinq lignes symboliques, continuellement reprises.

La première est celle de la lumière, de la gloire de Dieu qui rayonne sur la ville et la rend totalement transparente, comblée de sa présence au point de n'avoir plus besoin d'un centre lumineux comme le Temple : toute la cité est lumière.

Le deuxième élément symbolique est le rempart de grande hauteur avec ses assises, qui donne les dimensions de la cité.

Le troisième est celui des douze portes, avec leurs inscriptions et leurs ornements.

On trouve ensuite l'élément du fleuve, qui se rattache au récit de la Genèse.

Enfin les arbres avec leurs fruits et leurs feuilles : l'arbre de la vie.

Je me contente de reprendre les deux premières lignes symboliques, en vue de montrer l'unité de l'ensemble, l'unique message sans cesse réitéré.

La ville, au verset 10, est donc resplendissante de la gloire de

Dieu et le verset 11 commente cette splendeur, semblable à celle d'une pierre précieuse, de jaspe cristallin.

Le thème de la lumière est repris au verset 18 : la ville est de l'or pur, comme du cristal très pur ; c'est pourquoi (v. 23) elle peut se passer de l'éclat du soleil et de celui de la lune, dès lors que la gloire de Dieu l'illumine et que son flambeau est l'Agneau.

Au verset 24, la lumière devient la référence pour toute l'humanité : « les nations marcheront à sa lumière. »

Le nouvel ordre de choses dans lequel nous sommes, le règne du Christ qui déjà s'instaure, est la splendeur fascinante de la gloire du Père et de l'Agneau. C'est une réalité lumineuse dans laquelle il est bon de vivre car elle donne sécurité, souffle, clarté, joie, et « de temple je n'en vis point en elle » (v. 22), car le Seigneur tout-puissant et l'Agneau sont son temple. La transparence de Dieu est telle que Dieu est perceptible en tout lieu, on le rencontre partout. La conversion chrétienne est le fait de quiconque entre dans cette nouvelle façon de voir les choses, accueille la révélation de la gloire de Dieu et se laisse éclairer par sa lumière.

Le rempart est décrit, au verset 12, comme « de grande hauteur ». Au verset 14, on dit que « le rempart de la ville repose sur douze assises portant chacune le nom de l'un des douze Apôtres de l'Agneau ». Rempart assez singulier, qui donne à la ville une incroyable hauteur, mesurée par un roseau d'or ; la cité a une forme étrange, toute symbolique, la forme d'un carré où la longueur est égale à la largeur et à la hauteur. C'est un cube de plus de cinq cents kilomètres de côté, et le rempart a une épaisseur de plus de six kilomètres. Donc une ampleur démesurée, une extension et une hauteur inimaginables pour une ville. Et on nous en dit ensuite l'incalculable richesse : le rempart est construit en jaspe, les assises sont ornées de pierres précieuses.

La ville que nous contemplons ainsi est capable d'un accueil sans limites, c'est une ville qui donne une aisance et une sécurité sans égales. Dans cette lumière de Dieu, on se sent pleinement en sécurité, jouissant des richesses de la sphère divine et de l'être-en-Christ.

Si nous poursuivions la réflexion sur les autres symboles, on s'apercevrait que chacun d'eux ajoute quelque chose à la signification de la conversion chrétienne et, préludant à la manifestation plénière de Dieu en son royaume – indescriptible par des mots –, nous invite déjà à nous demander si nous avons conscience de vivre dans cette réalité nouvelle, si nous avons conscience de la beauté, de la richesse, de la sécurité, de la luminosité, de l'ouverture, de la disponibilité de la réalité dans laquelle nous sommes en étant dans le Christ, avec lui dans le Père, dans le mystère trinitaire.

Il est intéressant de relire les derniers versets de la description des symboles, où est souligné l'effet du nouvel ordre de choses instauré par la mort et la Résurrection de Jésus : « Les nations marcheront à sa lumière, et les rois de la terre viendront lui porter leurs trésors. Ses portes resteront ouvertes le jour – car il n'y aura pas de nuit – et l'on viendra lui porter les trésors et le faste des nations. Rien de souillé n'y pourra pénétrer, ni ceux qui commettent l'abomination et le mal, mais seulement ceux qui sont inscrits dans le livre de vie de l'Agneau » (v. 24-27).

La Jérusalem nouvelle est le point de référence qui donne sens à toute l'histoire humaine, elle est le point d'arrivée de toutes les nations et de tous les peuples, elle est la cité idéale ouverte et prête à recevoir tout le monde, elle est la cité qui exclut toute impureté et toute fausseté, qui unit nations et peuples au fur et à mesure qu'ils sont immergés dans cette plénitude lumineuse qui est la manifestation de Dieu, de son amour sans limites. Les mesures de la ville sont à la démesure de la hauteur, de la longueur, de la largeur de la charité du Christ, et au-delà de toute compréhension.

Le chrétien qui lit l'Apocalypse.

Pour le chrétien qui lit l'Apocalypse, chaque page des chapitres 21 et 22 est une façon de dire son être en Christ, les richesses qui, dès maintenant, lui sont données comme prémices, anticipation, avant-goût de ce qui sera définitif et l'est déjà en partie. Nous pouvons nous demander en quoi cette richesse concerne l'actuelle Jérusalem historique. Celui qui aime cette Jérusalem-ci et toutes les villes historiques qui participent à ses souffrances, comprend la réponse à la question, même s'il n'est pas facile de l'exprimer de manière rationnelle et logique. J'essaie pourtant de le faire : la Jérusalem actuelle est attirée par la force des symboles au-delà d'elle-même et a donc sa propre destinée ; destinée dont elle est le symbole, destinée par laquelle elle est attirée vers la plénitude qu'elle rappelle constamment par son nom et son histoire. En d'autres termes, il y a une tension dialectique permanente entre la Jérusalem historique et la Jérusalem céleste ; l'une rappelle l'autre et la Jérusalem céleste attire celle de l'histoire et, avec elle, toute l'histoire humaine.

Conclusion.

Demandons-nous à quoi nous encourage la vision que nous avons cherché à contempler.

Il me semble qu'elle encourage avant tout à découvrir la plénitude dans laquelle nous sommes et à en être reconnaissants à Dieu : plénitude qui est le chemin historique de l'humanité, qui se révèle à nous comme un chemin positif, chargé de sens, et pas seulement de pure attente, un chemin déjà de participation aux richesses inestimables, inépuisables, du Christ, en tant qu'individus, en tant que groupe, que ville, société et humanité.

Si, avec la grâce du Seigneur, avec les yeux de la foi, nous nous efforçons de découvrir la plénitude dans laquelle nous sommes, nous devons nous laisser entraîner par cette dynamique historique. Dynamique qui nous indique où va l'histoire et nous aide à saisir comment l'anticiper dans la fraternité et la justice, en espérant et en agissant afin que, à travers la victoire du bien sur le mal, voire en tirant le bien du mal, la lumière de la Jérusalem céleste rayonne et donne joie et sécurité dès maintenant à tous ceux qui cheminent avec nous.

Enfin, la vision que nous avons cherché à contempler nous stimule à impliquer la Jérusalem historique, et toutes les villes qui souffrent de ses souffrances, dans cette voie qui entraîne le monde vers la plénitude définitive.

La singularité de l'élection d'Israël

Le discours de Moïse, rapporté par le Deutéronome, chapitre 4, versets 32 à 40, considéré par les exégètes comme une magnifique homélie sur l'élection d'Israël, est aussi l'un des passages stylistiquement et théologiquement les plus élevés de tout le Deutéronome.

D'autre part, ce discours peut devenir une pierre d'achoppement car il souligne l'unicité et la singularité de la vocation d'Israël en disant très clairement que ce qui est arrivé à son peuple n'est advenu à aucun autre. C'est un événement singulier, inconnu depuis les origines, quand Dieu créa l'homme ; inconnu d'un bout à l'autre de l'univers. Ce n'est pas seulement un exemple de ce que Dieu fait pour tous les hommes, c'est un fait unique.

Comment interpréter alors cette page du Deutéronome ?

Nous sommes toujours tentés par l'interprétation symbolique, c'est-à-dire que, lorsqu'on parle d'Israël, en réalité on entend tous les peuples, le monde, chacun de nous.

En fait, le texte déclare ceci : l'élection est celle d'Israël, ce qui équivaut presque à dire « *Extra Israel nulla salus* », hors d'Israël, point de salut.

Joseph et ses frères.

Joseph, dont l'histoire est contée au livre de la Genèse (chap. 37-50), est une figure du peuple d'Israël, et ses frères sont une figure des nations qui ne peuvent accepter qu'il y ait pour Israël un privilège ; c'est le drame de l'histoire universelle.

L'élection d'Israël n'est pas un tort fait aux autres peuples, elle ne peut être vécue comme une injustice pour ceux qui ne sont pas juifs. Nous devons apprendre à contempler la Passion d'amour de Dieu, qui crée une histoire de salut. Tant que nous ne le comprendrons pas, nous serons toujours sous la menace de divisions et de guerres.

Joseph est aussi une figure de Jésus, de l'Église, et ses frères sont une figure de l'humanité. Puisqu'il n'accepte pas Israël, l'homme rationaliste, l'homme des Lumières, ne parvient pas à accepter une Église qui aurait des privilèges de salut : pourquoi se faire chrétien ? pourquoi Jésus-Christ seul est-il le salut ? D'où les blocages du dialogue interreligieux, dans la confrontation entre les religions. Les chrétiens eux-mêmes vivent parfois leur foi avec angoisse : pourquoi devraient-ils être la seule religion de salut ?

Au fond, nous sommes liés à une vision qui se fonde sur la pure raison : il n'existe pas d'histoire d'amour, de dessein divin de salut pour tous, qui se sert d'instruments privilégiés ; nous sommes tous égaux. Nous ne voulons pas d'inégalités sur le chemin historique de l'homme, nous n'acceptons pas de divisions dans l'humanité et nous souffrons parfois beaucoup à ce propos, car nous ne réussissons pas à concilier notre mentalité d'hommes modernes ou postmodernes avec notre être chrétien. Il est donc extrêmement important de retrouver, avec la grâce de l'Esprit-Saint, ce qui est l'intuition fondamentale de toute l'histoire de Joseph : « c'est pour préserver vos vies que Dieu m'a envoyé en avant de vous » (45, 5).

Le privilège d'Israël par rapport aux nations, le privilège de Jésus par rapport aux autres hommes, et le privilège de l'Église, est pour le salut de tous, comme cela apparaît clairement dans le Fils crucifié. Le privilège de Jésus lui est donné afin qu'il meure pour tous ; le privilège de l'Église lui est donné pour qu'elle soit servante de l'humanité et que, à travers ce service et ce don de la vie, l'humanité soit une. L'humanité n'est donc pas unifiée simplement par une collection d'égaux, mais par Jésus qui, en offrant sa vie en tant que premier-né, appelle et attire tout à lui.

Ce n'est pas une vision facile ; elle exige en effet l'acceptation d'un dessein de Dieu qui ne correspond pas à un pur développement évolutionniste comme le postule la raison, identique pour tous, où le salut vient à manquer de dimension historique (selon une vision idéaliste, gnostique). Il s'agit en revanche de l'amour de Dieu qui a créé le monde avec un dessein de salut dont le sommet est en Jésus-Christ.

Nous assistons aujourd'hui à la lutte entre ces deux conceptions : pour les uns la dignité de l'homme est fondée sur la pure rationalité, pour les autres sur l'attirance universelle que Jésus exerce sur tous ; Joseph est la figure du juste sacrifié pour les autres, qui est finalement reconnu comme l'unique instrument de salut ; la seule façon dont l'humanité s'est sauvée de la faim a été ce Jésus repoussé.

Nous devons demander au Seigneur qu'il nous fasse comprendre et aimer le mystère de l'histoire de Joseph, et qu'il nous rende également capables de le faire aimer. C'est le mystère qui sauvera l'humanité de la dénutrition spirituelle, de la mort par la faim de l'esprit. Il n'y a pas de raison, pas de loi, pas de structure internationale, fussent-elles parfaites, qui puissent sauver l'humanité, mais la seule Rédemption.

S'éprendre de Jésus.

Le passage de l'évangile de Matthieu (16, 14-28) peut être lu comme une application de ce que nous avons dit sur l'unicité de Jésus : « Si quelqu'un veut venir à ma suite, qu'il se renie lui-même, qu'il se charge de sa croix, et qu'il me suive. » Face à ce passage, la première réaction est le refus. Comment est-il possible de se renier soi-même et qu'est-ce que cela signifie réellement ? ne s'agit-il pas d'une proposition qui met à mal nos idées de réalisation personnelle, d'affirmation, de croissance ?

Pourtant Jésus s'exprime avec beaucoup de force. Il me

semble qu'il veut nous faire comprendre que ses requêtes exigeantes s'accordent avec son unicité de Fils, avec l'unicité de son rôle dans l'histoire du salut. La perplexité que ses paroles suscitent en nous ne peut être dépassée si nous ne saisissons pas qu'il nous demande de l'aimer, de nous éprendre de lui, et non en premier lieu de renoncer à nos désirs, d'accomplir des actions héroïques.

Si nous nous éprenons de Jésus, de son unicité, qui est l'unicité du Dieu Père, peu à peu notre vie change, est purifiée, nous sommes poussés à aller de l'avant, à nous transcender et donc, en ce sens, à renoncer à nous-mêmes. En nous déséquilibrant du côté de Dieu, nous sommes saisis par lui et du coup nous nous perdons nous-mêmes, nous perdons le désir de nous fier à nous, de nous réaliser.

La réalisation de soi est rationnellement la meilleure chose que l'on puisse faire, mais l'amour n'est pas rationnel, il naît de la grâce de Dieu et de la contemplation amoureuse de ce que le Christ a fait pour nous.

III

LES RELATIONS
JUDÉO-CHRÉTIENNES

Judaïsme et christianisme
histoire et théologie

REGARD HISTORIQUE

Époque du Nouveau Testament.

Le christianisme des origines est profondément enraciné dans le judaïsme et ne peut être compris sans une sympathie sincère et une expérience directe du monde juif. Jésus est pleinement juif, les apôtres sont juifs, et on ne peut douter de leur attachement à la tradition des Pères. La Pâque messianique que Jésus, rédempteur universel et serviteur souffrant, annonce et réalise, ne s'oppose pas à l'Alliance du Sinaï, mais en complète le sens. Les polémiques antijuives présentes dans le Nouveau Testament s'entendent à divers plans : au plan historique, dans l'atmosphère des déchirements sectaires qui opposaient les divers groupes (pharisiens, sadducéens, esséniens, etc.) ; au plan théologique, particulièrement chez Jean : les « juifs » sont une catégorie désignant ceux qui refusent le salut (cette terminologie catégorielle a été bien mise en lumière par Karl Barth, notamment dans son commentaire de l'épître aux Romains) ; au plan eschatologique, pour lequel la « fin » des structures de l'Alliance est entendue comme une nécessité du Royaume, quand Dieu règne « tout en tous » ; au plan ecclésial, comme réaction aux prétentions judaïsantes qui s'affirmaient dans des milieux de chrétiens issus du paganisme.

Mais tout cela ne signifie pas que le christianisme originel et le Nouveau Testament aient un caractère antisémite. La grande importance que Paul accorde à la tradition et à l'Alliance des Pères dans sa lettre aux Romains semble même vouloir barrer le courant d'une certaine opposition aux juifs qui se manifestait chez certains chrétiens de Rome issus du monde gréco-romain.

Période patristique.

L'étude des Pères n'a pas encore été faite quant au rapport avec le judaïsme d'*Eretz Israël* et de la diaspora (comme on le dit en particulier dans le Talmud) ; l'étude des hérésies des premiers siècles, spécialement en Asie et en Orient, et leur rapport avec les courants juifs, serait également précieuse pour comprendre la naissance de l'islam.

Jusqu'au Ve siècle, le terme *judaeus* n'a pas, chez les Pères, de connotation péjorative ; les catégories de pensée et la mentalité sémites continuent de pénétrer la pensée chrétienne, en particulier jusqu'à Nicée, mais ensuite encore elles continuent de féconder notamment les auteurs syriens, tel saint Éphrem, et à travers eux – grâce aussi à saint Ambroise – elles sont présentes en Occident. Cela vaut encore plus pour la vie liturgique et la prière, pour laquelle le renvoi à l'expérience synagogale est essentiel, comme nous le voyons à Alexandrie au temps d'Origène. Cette familiarité commencera à se déliter dans l'Espagne wisigothique (VIIe siècle), quand les conciles imposeront aux juifs convertis d'abjurer et d'abandonner toute tradition antérieure.

Augustin, toujours attentif à saisir les semences de vérité (les *logoi* stoïciens) y compris chez les païens, introduit cependant un élément négatif dans son jugement sur les juifs : ce que l'on a appelé la « théorie de la substitution » : au vieil Israël se substitue l'Israël nouveau, l'Église. Mais nous ne sommes pas encore dans une situation d'intolérance pesante, comme en témoigne, à Rome même, la mosaïque paléochrétienne de Sainte-Sabine qui représente, à côté de l'« *Ecclesia ex*

Gentibus », l'« *Ecclesia ex Circumcisione* » comme une noble matrone, image qui sera remplacée, au Moyen Âge, par celle de la Synagogue aux yeux bandés.

Période médiévale.

Léon Poliakov a démontré de manière exhaustive que, jusqu'aux croisades, la situation des juifs en Europe est encore en général une coexistence paisible avec la population chrétienne.

Un changement d'attitude, brusque et sanglant, est provoqué par les masses fanatiques qui se rendent dans le désordre à la suite des armées envoyées en Terre sainte : elles sont responsables de massacres féroces de communautés juives entières en Allemagne, malgré les oppositions d'évêques et de seigneurs ; on ne laissait aux juifs que le choix entre le baptême et le martyre, et des milliers choisirent celui-ci en proclamant leur fidélité à Dieu. Depuis 1144 se répandit également l'accusation d'homicide rituel et plus tard celle d'un odieux complot des juifs, maudits parce que déicides, contre le genre humain. Les conséquences, notamment au plan populaire, seront extrêmement graves : les juifs deviennent presque le symbole du mal satanique, à extirper implacablement par tous les moyens.

L'Église ne participe pas à ces aberrations, mais se ressent toutefois de cette atmosphère : ainsi, en 1215, le concile de Latran IV impose-t-il aux juifs une « marque » distinctive.

Aux XIIIe et XIVe siècles, on voit pourtant à Rome une communauté juive particulièrement florissante et, en 1310-1311, le concile de Vienne décrète l'institution dans toute l'Europe de chaires d'hébreu et d'araméen pour l'étude du Talmud, mesure qui ne sera cependant jamais appliquée. En Espagne, en France et en Italie, la collaboration entre juifs et chrétiens sur le plan culturel est profonde ; cette atmosphère transparaît dans la nouvelle de Melchisédec le Juif et Saladin, de Boccace (*Decameron* 1, 3).

Le Moyen Âge, pour les juifs, continuera en Europe jusqu'à la Révolution française. Il sera marqué par deux très graves événements : l'expulsion d'Espagne (1492) et l'institution du ghetto par la bulle pontificale *Cum nimis absurdum* (1555), et accompagné de bûchers du Talmud, de vexations, de procès religieux et de décadence culturelle. Ces persécutions doivent nous inspirer une réflexion sérieuse pour en saisir les causes, et il est certain que les préjugés religieux, alimentés par des prédications populaires enflammées (par exemple celle de saint Bernardin), offriront de faciles prétextes à ceux qui cherchaient à tirer des profits politiques ou économiques des juifs enfoncés dans l'insécurité et les menaces. Reconnaître les erreurs d'une religiosité mal interprétée, ou pire, d'un fanatisme aveugle, relève d'une humble sagesse. L'intolérance religieuse masquera souvent l'irréligiosité, et une religiosité moins attentive peut être instrumentalisée à d'autres fins : il ne manque pas d'exemples dans l'Écriture, et c'est pourquoi Jésus exhorte à la conversion du cœur, pour adorer le Père « en esprit et en vérité » (Jn 4, 23).

Période moderne et contemporaine.

Après l'émancipation, les juifs sont activement présents dans les domaines scientifique, littéraire, philosophique, politique, économique, artistique, dans les nations nées à l'époque moderne, alors que fleurissent des courants favorables au retour à la « terre », en Palestine, inspirés par des motifs religieux ou purement politico-idéologiques.

Durant la même période, en revanche, l'Église vit une époque de relations difficiles avec le nouvel ordre social et la nouvelle mentalité. Ne peut-on penser que, s'il y avait eu des relations fraternelles entre christianisme et judaïsme, on n'aurait pas vécu certaines incompréhensions douloureuses entre l'Église et le monde moderne ?

De nouveaux pogroms se succédèrent en Russie à la fin du XIXᵉ siècle : là aussi fanatisme, intolérance et préjugés religieux s'unissent aux motivations politiques. Tragique, indescriptible, voici l'horreur de l'extermination des juifs d'Europe programmée avec une férocité systématique et absurde par les nazis : cette nouvelle tyrannie idolâtre de l'État exploitait habilement les préjugés antijuifs séculaires répandus dans le peuple. À l'horreur s'associe en nous une vive douleur, si nous considérons à quel point l'indifférence, ou pire, l'aversion séparait souvent juifs et chrétiens en ces années-là ; mais il faut rappeler aussi l'héroïsme de tous ceux qui ont secouru les juifs persécutés.

Pie XI préparait une encyclique condamnant l'antisémitisme, mais sa mort interrompit ce projet.

L'après-guerre vit la renaissance d'un État juif autonome et démocratique, pour lequel la grande majorité des juifs prie en saluant ce « commencement de la floraison de la Rédemption ». L'Église se met en attitude de dialogue avec le monde, attentive à discerner les « signes des temps », dans un esprit de service envers l'humanité encore déchirée par de graves oppositions. Le concile Vatican II exprime toute la passion de l'Église pour le salut du monde et pour la paix, et répudie l'accusation de « déicide », et « l'enseignement du mépris » (Jules Isaac) vis-à-vis des juifs, soulignant au contraire l'importance du patrimoine commun de foi au mystère du plan salvifique voulu par Dieu (*Nostra Aetate*, 4). Nous avons tous perçu les signes de ces larges ouvertures, comme la visite de Jean-Paul II à la synagogue de Rome ou la grande prière pour la paix à Assise. Le 2 mai 1987, le Saint-Père a proclamé bienheureuse une fille du peuple juif qui, à Auschwitz, s'est offerte avec le Christ « pour la paix véritable » et « pour son peuple ».

REGARD THÉOLOGIQUE

Ces brèves notations historiques n'ont pour objet que de nous aider à comprendre combien une analyse critique de plus en plus précise du passé est nécessaire : l'Église sera toujours reconnaissante à ceux qui lui offriront une contribution culturelle sérieuse, précieuse pour interpréter l'histoire à la lumière des principes de la foi.

Je voudrais indiquer quelques-uns de ces principes, qu'un rude et parfois douloureux itinéraire historique a fait émerger dans la réflexion théologique et dans les documents d'application du concile émanant de la Commission pour les relations religieuses avec les juifs, instituée en 1974, dont je fus plusieurs années consulteur. Cet itinéraire doit se poursuivre, et la théologie est invitée, avec plus d'insistance depuis la Shoah, à « se confronter avec l'histoire et l'expérience de foi des juifs à Auschwitz » (J. B. Metz).

Les racines communes qui font de nous des frères.

Jean XXIII, le concile, Paul VI (avec l'encyclique *Ecclesiam suam*), Jean-Paul II, c'est-à-dire tout le récent magistère universel de l'Église, de même que les documents de conférences épiscopales et d'Églises locales, rappellent à l'unisson que l'Église et le peuple juif sont liés par un lien profond « au niveau de leur propre identité religieuse », un lien qui ne détruit pas mais valorise les deux communautés et leurs membres dans leurs différences spécifiques et dans leurs communes valeurs.

Je voudrais tenter ici un rapide rappel, non exhaustif, de ces éléments communs, selon l'Écriture et la tradition.

La foi d'Abraham et des patriarches en ce Dieu qui a choisi Israël d'un amour irrévocable ; la vocation à la sainteté : « Soyez saints parce que je suis saint » (Lv 11, 45) et la nécessaire « conversion *(teshuvah)* du cœur » ; la tradition de prière, privée et publique ; l'obéissance à la loi morale exprimée dans les commandements du Sinaï ; le témoignage rendu à Dieu dans la « sanctification du Nom » au milieu des peuples, jusqu'au martyre si nécessaire ; le respect et la responsabilité face à tout le créé, l'engagement pour la paix et le bien de l'humanité entière, sans discriminations.

Et cependant, ces éléments communs sont entendus et vécus

dans les deux traditions avec des modalités profondément différentes.

Différences.

Ces valeurs profondes qui nous unissent ne suppriment certes pas les caractéristiques qui nous distinguent et qui sont exposées avec autant de clarté pour fonder un dialogue honnête ; en Jésus mort et ressuscité, nous chrétiens adorons le Fils unique bien-aimé du Père, le Messie seigneur et rédempteur de tous les hommes qui récapitule en lui la totalité du créé. Toutefois, par cet acte de foi, nous entendons confirmer les valeurs judaïques et la Torah, comme l'affirme Paul (Rm 3, 31). Notre exégèse dynamique et eschatologique des Écritures nous place dans une ligne de continuité avec l'interprétation juive.

Reste le devoir urgent, pour la réflexion ecclésiologique, de clarifier comment les deux communautés de l'Alliance, Église et Synagogue, ne se confondent pas, tout en participant à une mission commune au service de Dieu et de l'homme. Saint Ambroise, parlant des rapports entre les deux « alliances » (Ancien Testament-Nouveau Testament), parle de « *rota intra rotam* », et l'image est séduisante. Saint Paul avait employé l'image colorée de l'olivier franc et de l'olivier sauvage.

L'histoire passée nous a montré par ailleurs les dommages que cette mission a subis à cause des oppositions polémiques excessives et parfois tragiques qui nous ont divisés.

Une espérance et une fin communes.

Non seulement les racines et nombre d'éléments de notre itinéraire sont communs, mais le but final peut aussi être exprimé et entendu en termes de convergence. L'espérance dans le futur messianique, quand seul Dieu règnera, Roi de justice et de paix ; la foi en la Résurrection des morts, dans le

jugement de Dieu, riche de miséricorde, la rédemption universelle sont des thèmes communs aux juifs et aux chrétiens. Les
diversités mêmes qui nous opposent sur ces points pourraient
être vues également, peut-être plus souvent qu'il n'y paraît,
dans le sens d'une complémentarité mutuelle.

Collaboration et émulation fraternelles.

Sur la base de ces principes, qui seront certes étudiés et
approfondis attentivement, il semble déjà aujourd'hui et il
apparaîtra plus clairement qu'il existe un large espace pour un
engagement commun nécessaire, notamment au plan spirituel,
éthique, dans le domaine des droits de l'homme et l'assistance
aux peuples et aux personnes qui ont besoin de solidarité pour
la paix et le développement intégral de l'humanité. Des points
de contact apparaîtront aussi de plus en plus souvent, permettant d'élargir à d'autres croyants ces responsabilités
communes, en particulier aux fidèles de l'islam.

À ce propos, l'engagement commun de juifs, de chrétiens et
de musulmans pour une solution équilibrée qui apporte la paix
« juste et complète » (Jean-Paul Ier, 6 septembre 1978) à Israël,
au peuple palestinien et au Liban, se fait toujours plus urgente.
Jérusalem est comme le centre et le symbole de ces valeurs religieuses, historiques, éthiques et culturelles communes, qui
doivent être harmonieusement combinées et respectées.

De même qu'en vue de Jérusalem Jésus pleura, nous tous
aussi, « afin d'obtenir le pardon pour les larmes du Seigneur »
(saint Ambroise, *De paenitentia*, 1, 11), espérons que de Jérusalem surgisse un fleuve de paix et un torrent de pardon et
d'amour.

Les voies du dialogue

Quand j'étais professeur d'Écriture sainte et que j'avais l'occasion d'aller fréquemment en Israël pour des motifs d'étude et de rencontre avec des savants juifs, mon approche du problème des relations judéo-chrétiennes était influencée par son aspect social et culturel.

Maintenant que je suis évêque et donc responsable d'une communauté chrétienne, je vois le problème d'une façon en un certain sens beaucoup plus simple, presque naïve.

Il ne s'agit pas, en effet, de discuter entre spécialistes sur les rapports entre juifs et chrétiens, mais plutôt de trouver des points de référence pour le peuple de Dieu, parce que le problème est devenu aussi plus précis et décisif pour l'avenir de l'Église elle-même. L'enjeu n'est pas simplement la plus ou moins grande vitalité d'un dialogue, mais bien la prise de conscience, chez les chrétiens, de leurs liens avec la descendance d'Abraham, et des conséquences qui en découlent pour la doctrine, la discipline, la liturgie, la vie spirituelle de l'Église et même pour sa mission dans le monde d'aujourd'hui.

D'autre part, la nécessité que l'Église se comprenne elle-même vitalement dans sa nature et sa mission par rapport au peuple juif exige avant tout de prêter attention à ce que le peuple juif dit et pense de lui-même. Pour cela, il me semble important de rappeler, comme point de départ, certains aspects de l'autoconscience religieuse juive à la lumière de quelques graves problèmes auxquels les chrétiens et toute l'humanité se trouvent aujourd'hui confrontés.

En un second temps, je suggérerai les étapes qui pourraient

aider au développement des relations judéo-chrétiennes en vue d'affronter ensemble les problèmes communs de notre temps.

Il sera alors possible, dans un troisième temps, de comprendre quels objectifs doivent être recommandés comme nécessaires pour une action commune qui devrait correspondre à la nature et à la mission des chrétiens et des juifs dans l'obéissance au même commandement de Dieu.

Certains aspects de l'autoconscience religieuse juive et les graves problèmes de l'humanité contemporaine.

Le passage suivant du chapitre 6 du Deutéronome demeure essentiel pour la compréhension de la tradition religieuse juive : « Écoute, Israël : Yahvé notre Dieu est le seul Yahvé. Tu aimeras Yahvé ton Dieu de tout ton cœur… » (6, 4-5).

Rachi commente le *Shema* en observant que « Dieu n'est pas encore le Dieu des peuples idolâtres, mais un jour, comme le prophétisent Sophonie et Zacharie, il y aura un seul Seigneur, et unique sera son nom ».

Et Michée prophétise la mission universelle de paix qu'Israël est destiné à porter au milieu de tous les peuples : « Celui-ci sera paix […] alors, le reste de Jacob sera au milieu des peuples nombreux comme une rosée venant de Yahvé, comme des gouttes de pluie sur l'herbe » (5, 4.6).

La création elle-même, selon le commentaire de Rachi au chapitre premier de la Genèse, est orientée vers la Torah et vers Israël. Dieu a créé le monde « *bishvil ha Torah* », par amour de la Torah, et « *bishvil Ysra'el* », par amour d'Israël. Israël est donc conscient d'être un peuple séparé pour le service sacerdotal, consacré pour guider tous les peuples vers l'obéissance parfaite et l'amour de Dieu.

C'est pourquoi le judaïsme ne peut désespérer de la fidélité de Dieu, il est prisonnier de l'espérance. Mais nous aussi sommes liés à cette espérance.

Nonobstant la fidélité de Dieu à l'Alliance et à l'amour pour son peuple, Israël a risqué plusieurs fois, au cours de l'histoire, d'être éliminé et s'est trouvé souvent en condition d'infériorité et de persécution.

Comment interpréter ces événements sans céder au désespoir, sans risquer de les écarter, dans leur terrible et concrète réalité, de la mémoire historique ?

Les réactions des juifs face à ces tragédies furent, d'une fois à l'autre, différentes : ils en cherchèrent parfois la cause dans la désobéissance à la Loi ; à d'autres moments ils accusèrent l'injustice de l'homme ; ou encore ils cherchèrent le réconfort en adorant, dans le silence, l'incompréhensible mystère de Dieu.

On peut lire, par exemple, dans le *Midrash Rabbà* sur le livre des Lamentations : « Israël a été puni, dit ben Aza'ï, pour avoir répudié le Dieu unique, la circoncision, les dix commandements, les cinq livres de la Torah. »

La *Mishnah*, dans un passage célèbre, montre avec quelle conscience unitaire le judaïsme réfléchissait sur ces faits de son histoire : « Cinq disgrâces sont tombées sur nos pères le 17 de Tammuz et le 9 de Ab ; le 17 de Tammuz, les tables de la loi furent fendues, l'offrande quotidienne interrompue et une brèche fut ouverte dans la ville ; Apostomos brûla les rouleaux de la loi et mit une idole dans le temple ; le 9 de Ab il fut décrété que nos pères n'entreraient pas dans la Terre promise, le temple fut détruit la première et la deuxième fois, Bethar fut prise et la cité dévastée. »

La dernière de toutes ces grandes tragédies fut la Shoah : elle est sans proportion avec les persécutions antérieures et apparaît comme le sommet tragique de l'antisémitisme des millénaires précédents.

Auschwitz : certains juifs y voient le martyre et la souffrance les plus durs que Dieu ait demandés à Israël ; d'autres (André Neher et Élie Wiesel) le temps des plus épaisses ténèbres et du silence total de Dieu.

Mais l'espérance continue de briller sur le sentier du peuple juif à travers l'histoire. L'espérance émerge à nouveau de l'horreur de la Shoah parce qu'il y a un signe concret qui éclaire comme un phare dans la nuit : c'est la promesse messianique d'une terre, de la terre réconciliée de Jérusalem, la cité de la paix, d'un monde futur, d'un *shalom* messianique.

Ce regard vers l'avenir, nonobstant et peut-être à cause de si nombreuses souffrances, nous conduit au cœur d'un problème qui afflige non seulement Israël mais aussi l'Église. Israël a une mission messianique universelle de « shalomisation » du monde ; l'Église se propose d'apporter au monde et à l'univers entier les effets de la réconciliation effectuée par le Christ.

*Les étapes pour soutenir et développer
les relations judéo-chrétiennes.*

À partir de ces considérations et pour mieux comprendre les objectifs vers lesquels juifs et chrétiens peuvent avancer ensemble, je suggère six étapes.

La première étape est la prière. Soyons conscients que, dans le drame de l'histoire, « l'homme n'est pas seul ». Des dimensions insoupçonnées de foi, d'espérance et d'amour, s'ouvrent aussi bien pour le laïc que pour l'homme d'Église, pour le juif que pour le chrétien.

Pour le chrétien, le sommet de la tension religieuse est l'eucharistie. Pour le juif, tout moment, toute circonstance de la vie est une possibilité d'adorer le nom du Très-Haut, c'est une œuvre de service saint, d'*Avodà* : la Torah, le Shabbat, le Talmud (l'étude), les *mitzvot*, sont tous des exemples de ces modalités et moments de culte spirituel.

Il est nécessaire alors que les chrétiens comprennent cette attitude juive constante de bénédiction et de louange : *Berakhà* et *Todah*. Pour vivifier l'eucharistie, pour célébrer la liturgie avec toutes les valeurs vénérables et précieuses encore présentes aujourd'hui dans la vie juive entendue comme liturgie, comme *Avodà*, les chrétiens devraient s'habituer toujours davantage à comprendre les prières et la spiritualité des juifs.

La deuxième étape est précisément l'une de ces valeurs du judaïsme : la conversion du cœur, la *teshuvah*.

Pour le juif, chaque jour est fait pour la *teshuvah* de l'individu et de la communauté. Chaque jour doit être aussi pour nous le moment de commencer à demander à Dieu et à nos frères – en l'occurrence aux juifs – d'accepter notre souffrance pour le mal que nous avons fait et pour le bien que nous avons oublié d'accomplir. Revenons à Dieu, et à l'homme qui est son image, penchons-nous sur le frère juif, sur l'histoire de ses souffrances, de son martyre, des persécutions qu'il a subies. Refusons les interprétations tendancieuses, injurieuses, de passages contenus dans le Nouveau Testament et d'autres écrits. Dissipons les incompréhensions qui nous rendent encore méfiants devant la bonne volonté réciproque. En réalité, nous désirons la même chose : être fidèles à la vérité.

La troisième étape est l'*étude* et le *dialogue, Talmud Torah*.

Pour rechercher infatigablement la vérité, l'humanité bâtit des universités et des centres scientifiques. Le judaïsme a élaboré dans le passé la réflexion talmudique avec tous ses traités successifs.

L'Église ne peut ignorer les résultats de cette élaboration, telle qu'elle est présentée dans les textes religieux, juridiques, philosophiques de la littérature judaïque postbiblique.

Il y a beaucoup d'autres exemples de ces initiatives. Mais pour qu'elles puissent porter du fruit, il faut qu'elles soient étendues au plus grand nombre possible de diocèses, de communautés et groupes ecclésiaux, afin que l'ignorance qui nous a séparés et opposés dans le passé, non sans responsabilité de notre part, soit progressivement endiguée.

Je suis convaincu qu'une profonde pénétration à l'intérieur du judaïsme est vitale pour l'Église, non seulement pour dépasser la vieille ignorance séculaire et ouvrir un dialogue fructueux, mais également pour approfondir notre propre compréhension de nous-mêmes. En d'autres termes, je voudrais souligner l'importance, pour la théologie et la pratique chrétiennes, de l'étude des problèmes qui découlent de l'interruption de la contribution que la théologie et la pratique des judéo-chrétiens avaient apportée à la communauté chrétienne primitive.

Tout schisme, toute division dans l'histoire de la chrétienté prive l'Église de contributions qui auraient pu être précieuses, et produit une certaine carence dans l'équilibre vital de la communauté chrétienne. Si c'est vrai pour toute grande division qui s'est produite au cours de l'histoire de l'Église, ce l'est particulièrement pour le premier grand schisme qui a privé l'Église de l'aide qui lui serait venue de la tradition juive. Je me contente d'évoquer trois conséquences de cet apport manqué : la pratique chrétienne éprouve une difficulté permanente à situer exactement la juste attitude des individus et des communautés face aux pouvoirs technique, économique et politique du monde ; la pratique chrétienne a du mal à trouver la juste attitude face au corps, au sexe, à la famille ; la pratique chrétienne ne réussit pas à trouver le juste rapport entre l'espérance eschatologico-messianique et les espérances ou attentes des individus et des communautés, s'agissant de justice, de droits de l'homme, etc. Les discussions sans fin sur les applications pratiques et sur les attitudes en ces matières – non pas, donc, sur les principes théologiques généraux – qui caractérisent aussi la situation actuelle, ont leurs racines dans cette blessure non guérie du premier schisme. Nous pouvons comprendre alors pourquoi saint Paul disait que les retrouvailles avec les juifs seraient comme « une résurrection d'entre les morts » (BJ ; d'autres traduisent « une vie sortant d'entre les morts »).

Il est très important, en tout cas pour les chrétiens, de promouvoir la compréhension de la tradition juive pour réussir à se comprendre plus authentiquement eux-mêmes.

La quatrième étape est le dialogue universel, ouvert. Le judaïsme et l'Église savent qu'ils ne peuvent s'arrêter à un dialogue qui exclurait d'autres interlocuteurs.

Ce rapport, par sa nature même, doit être ouvert avant tout à l'islam, en raison des communes racines historiques, culturelles, religieuses, de la foi d'Abraham.

Il ne faut pas nous attendre à des résultats à court terme, ni à des avantages stratégiques : au contraire, il faut commencer par proposer des valeurs communes, pour découvrir des objectifs et des instruments de dialogue, en sachant que l'on rend ainsi un service à toute l'humanité.

Je voudrais rappeler, avec les mots du concile Vatican II dans sa constitution sur l'Église, que le plan de salut inclut aussi ceux qui reconnaissent le Créateur et : « En tout premier lieu les musulmans qui professent avoir la foi d'Abraham, adorent avec nous le Dieu unique et miséricordieux, futur juge des hommes au dernier jour » (*Lumen gentium* 16). Et Jean-Paul II a souligné, dans une récente lettre apostolique à propos de la ville de Jérusalem, que : « Il est naturel de se rappeler comment nous devons invoquer la nécessaire sécurité et la juste paix pour le peuple juif, alors que d'autre part le peuple palestinien a le droit naturel, selon la justice, de trouver à nouveau une terre et de pouvoir vivre dans la paix et la sérénité avec les autres peuples de la région. » Le Saint-Père souligne : « La ville sainte de Jérusalem, si chère aux juifs, aux chrétiens et aux musulmans, s'élève comme un symbole de rencontre, d'union de paix pour toute la famille humaine » et il demande que « avec bonne volonté et largeur de vues soit trouvé un mode juste et efficace dans lequel les différents intérêts et aspirations puissent être mis ensemble sous une forme harmonieuse et ferme » et soient défendus de manière adéquate et efficace.

Le judaïsme offre nombre d'exemples d'ouverture au dialogue, non seulement avec l'islam mais aussi avec d'autres religions, avec la science et la philosophie. Parmi les chrétiens, à propos de ce dialogue, rappelons les exemples récents de Louis Massignon et de Charles de Foucauld, rappelons Giorgio La Pira, que j'ai pu rencontrer souvent à l'occasion de réunions entre juifs et chrétiens, dans l'intérêt pour l'Orient.

La cinquième étape est celle des initiatives. L'approche de la religiosité et de la culture juive peut être cultivée sur plusieurs plans. Sur celui de l'étude, en promouvant rencontres et recherches, et en coordonnant ce qui existe déjà ; dans les écoles, en usant des possibilités prévues par la législation scolaire et en révisant les livres de textes ; on peut ensuite programmer des cours de mise à jour pour le clergé et les catéchistes et instituer cours et initiatives dans les séminaires et les diocèses.

Si les étapes précédentes sont suivies progressivement, la dernière sera plus facile, celle de la création de points de rencontre et de lieux de collaboration sociale, politique et culturelle.

Nous pouvons ainsi espérer que, dans la promotion et la défense de la vie et de la liberté de tous les hommes, juifs et chrétiens se trouveront plus souvent que jadis les uns à côté des autres, par une commune impulsion religieuse et pour des raisons éthiques et d'idéal.

Les objectifs communs à la nature
et à la mission des juifs et des chrétiens.

Qu'est-ce qui nous attend ? Quel est l'objectif commun, à la fin de ces six étapes progressives que j'ai suggérées ?

Proposer quelques objectifs communs à longue échéance pourrait sembler présomptueux si l'on ne faisait confiance à cet Esprit de sainteté qui, dès le départ, a soufflé sur les eaux primordiales. C'est lui que nous invoquons en tout temps : « Envoie ton Esprit, Seigneur, qui renouvelle la face de la terre » (Ps 104, 30).

Un premier objectif commun sera d'être témoins de l'amour du Père dans le monde entier. Pour le juif comme pour le chrétien, il ne fait pas de doute que l'amour de Dieu et du prochain résume tous les commandements.

Tous les hommes sont également objets de l'amour de Dieu. Seder Eliyahn Rabbah déclare que juifs et non-juifs, hommes ou femmes, tous sont égaux du fait que l'Esprit divin descend sur eux selon leurs actes. Pour le chrétien, l'amour de Dieu est connu et expérimenté par l'intermédiaire de son Fils Jésus. Dans ce témoignage mutuel d'amour, nous sommes donc unis, comme par un but qui nous attire. Cette même loi de sainteté nous unit en dépit de la diversité des façons selon lesquelles elle nous est transmise.

Le fait que l'Église se soit toujours considérée comme le « *verus Israël* » ne devrait pas être entendu comme l'évacuation du vieil Israël : si nous, chrétiens, croyons être en continuité et en communion avec les patriarches, les prophètes, les tribus d'Israël, avec les martyrs Macchabées et les exilés de Babylone, il faut que cette communion se réalise de toutes les manières possibles aussi par rapport aux juifs qui à Jabneh ont codifié la *Mishna*, à Babylone le Talmud, à Tolède et à Mayence ont composé la *Selichot*, et qui furent persécutés par les croisés et mis en procès pour infanticide rituel.

Peut-être n'est-il pas encore clair aujourd'hui que la mission de l'Église et celle du peuple juif peuvent s'enrichir et s'intégrer mutuellement sans retirer ce que l'une et l'autre ont d'essentiel et d'inaliénable. Il y a toutefois un objectif final : quand nous serons un seul peuple et que le Seigneur nous bénira en disant : « Bénies soient l'Égypte mon peuple, la Syrie œuvre de mes mains, Israël mon héritage. » Saint Paul déclare que les promesses de Dieu sont sans repentance !

Un deuxième objectif est celui d'un service commun du même projet d'alliance. Tant les juifs que les chrétiens exercent un service par rapport à toute l'humanité. En effet, à travers les juifs et les chrétiens, Dieu, Père de tous, continue de se tourner vers chaque personne. Le peuple juif dans son ensemble, et chaque juif, se considère comme le fils premier-né du Père, appelé à le louer. Selon le Nouveau Testament, l'Église est le peuple messianique au service de l'Alliance entre Dieu et l'homme, entre Dieu et l'humanité, entre Dieu et le cosmos. Il y a donc un service commun du même projet d'alliance et ce service constitue un ministère sacerdotal, une mission qui peut nous unir sans nous confondre, jusqu'à ce que vienne le Messie que nous invoquons : *Marana-tha*.

Si nous voulons tenter de décrire ce ministère sacerdotal d'Israël et de l'Église, nous pouvons utiliser la catégorie du « sanctifier Son Nom », c'est-à-dire rendre présente la sainteté de Dieu en nous-mêmes, dans les familles, dans la société, dans la création. Le judaïsme a développé une réflexion attentive aux préceptes qui sanctifient chaque moment de la vie, et à l'intention du cœur qui en constitue l'âme vivifiante.

Le christianisme redécouvre actuellement, en particulier l'Église catholique avec la promulgation du nouveau code, les significations sanctifiantes des normes ecclésiastiques et des traditions. Rechercher, étudier et approfondir la loi de sainteté et de liberté peut donc être un autre objectif commun des plus importants.

Parmi les nombreux terrains de rencontre, on peut souligner la défense et la protection de la vie humaine à chaque instant ; l'engagement de volontariat social, la non-violence ; l'aide aux populations en situation de grave nécessité ; l'assistance aux malades, aux drogués ; l'éducation des jeunes ; la promotion artistique, culturelle et scientifique. Dans toutes ces tâches, nous sommes guidés par le désir fondamental de promouvoir la paix et la justice. Une paix – rappelait Jean-Paul II aux représentants de la Fédération israélite suisse à Fribourg – fondée sur la justice, sur le respect des droits de chacun, sur l'élimination des causes d'inimitié, en commençant par celles qui sont cachées au cœur de l'homme.

Conclusion.

Je voudrais rappeler que cette collaboration exige aussi des structures communes. Il existe, par exemple, un Comité international de liaison entre la Commission du Saint-Siège pour les relations religieuses avec le judaïsme et le Comité international juif sur la consultation interreligieuse. D'autres rencontres hautement qualifiées se tiennent en diverses parties du monde.

Il faut toutefois que les efforts individuels soient coordonnés à l'intérieur de canaux de liaison, suffisamment souples pour ne pas écraser la créativité, mais capables en même temps d'assurer une union fructueuse des énergies.

Une autre structure commune à créer et à développer pourrait être un centre de secours pour les marginalisés, où juifs, chrétiens et musulmans collaboreraient ensemble.

Si l'Église chrétienne se sent appelée à être une conscience critique, spécialement en Europe, des tragiques événements et problèmes qui nous affligent tous, alors elle trouvera à ses côtés, dans cette mission, la force de la doctrine religieuse et éthique du judaïsme. Si l'Église désire être partout promotrice du dialogue et de la paix, lieu de rencontre universelle des peuples, au nom du Christ en qui toutes choses sont récapitulées, c'est alors précisément par rapport au judaïsme que ce dialogue et cette paix doivent être avant tout promus. Plus intensément et plus profondément, dans le respect de la diversité des contenus spécifiques de leur foi, juifs et chrétiens, réaliseront cette collaboration fraternelle, et plus leur présence aura un sens pour l'Europe du troisième millénaire, et pour le devoir qu'a l'Europe face au reste du monde.

Le chemin qui nous attend

La première page du décret *Nostra aetate* du concile Vatican II nous dit : « Tous les peuples constituent en effet une seule communauté, ils ont une seule origine, une seule fin dernière. »

Je voudrais faire quelques réflexions sur quatre points. Avant tout, cette très brève déclaration conciliaire d'à peine cinq pages constitue un tournant important dans l'histoire non seulement des relations judéo-chrétiennes, mais de l'Église catholique.

Le commencement de tout ce travail remonte à la mission qui en a été confiée par Jean XXIII au cardinal Bea, le 28 septembre 1960. Le cardinal Bea a été mon maître et mon confrère. J'ai partagé avec lui ces idéaux. Il me plaît de rappeler que, dans l'histoire de ce décret conciliaire, un document important est celui du 24 avril 1960 par lequel l'Institut biblique pontifical répondait aux questions posées par le Saint-Siège en vue du futur concile. Les professeurs de l'Institut signèrent à l'unanimité le document qu'ils voulaient proposer au concile, sous le titre *De antisemitismo vitando*, « Contre l'antisémitisme ». De là provient le noyau du texte conciliaire. Le document de l'Institut biblique était une large étude doctrinale qui rappelait tous les événements positifs dans le but précis de combattre toutes les formes d'antisémitisme. Il me plaît également de rappeler que le principal rédacteur du document fut le père Stanislas Lyonnet, mort voilà plusieurs années, lui aussi mon maître vénéré, mon ami et collaborateur. C'est ainsi que j'ai fait moi aussi partie de cette histoire, ainsi que de ses suites.

Depuis lors, vingt-cinq ans ont passé et on a beaucoup avancé, bien plus que durant les années et sans doute les siècles précédents, malgré les difficultés, les incertitudes, les incidents de parcours. Pour l'assimilation et l'intégration de ces principes dans le peuple chrétien, la route a été vraiment longue. J'ai vécu ces événements comme membre du groupe du dialogue judéo-chrétien, qui dépendait du Secrétariat pour l'unité. Je me souviens bien de la préparation du document de 1974, le premier texte d'application auquel nous nous sommes consacrés. Les exégètes surtout s'y sont engagés avec ardeur ; il faut les remercier, car le travail a été considérable. Il faut remercier tous ceux, connus et inconnus, qui l'ont fait progresser, tant chez les juifs que chez les chrétiens.

Le chemin à parcourir maintenant est encore long. Il faudra un approfondissement toujours plus grand de la part de la théologie catholique (mais aussi de la pensée juive), en tenant bien compte du fait qu'Israël est un mystère, le mystère d'Israël – comme le demandaient Maritain et bien d'autres spécialistes de ce domaine. Israël n'est pas quelque chose que l'on peut réduire à une équation mathématique, ce n'est pas une question qui admet des réponses simples. C'est une chose qui remet perpétuellement en mouvement la conscience sur les grandes valeurs de l'être et du non-être, de Dieu et du non-sens. C'est un mystère qui nous remet sans cesse en question. C'est pourquoi il est aussi fascinant, aussi difficile. C'est un mystère clé de l'histoire humaine, et l'Église aussi le reconnaît comme sa mystérieuse origine.

Nous devons faire encore bien des pas en avant, avoir beaucoup de patience. Celui qui attend l'impossible sera déçu, mais le dicton rabbinique est toujours valable : « Ne t'attends pas à terminer le travail, mais ne t'estime pas pour autant libre de t'en dispenser. » Le mystère d'Israël nous interpelle tous, théologiens mais aussi peuple chrétien. Il ne suffit pas que les théologiens disent certaines choses, si elles ne sont pas reçues dans la catéchèse.

Il me plaît de rappeler que la Conférence épiscopale italienne a institué une journée pour le dialogue avec les juifs, qui doit naturellement encore être reçue par la communauté. Cela demandera du temps, mais le fait qu'elle ait été instituée est un pas en avant. Espérons que nous ferons d'autres petits pas, sachant que la réalité mystérieuse d'Israël se projette sur un futur lointain. C'est un mystère qui va vers la plénitude, comme le christianisme et toute l'humanité. « Le chemin des hommes, dit Teilhard de Chardin, va vers une réalité totale. »

Le quatrième aspect est peut-être le plus délicat et le plus difficile : Jérusalem. Nous ne devons jamais oublier Jérusalem, avec ses problèmes particuliers. C'est une réalité que les juifs considèrent avec toute l'intensité de leur cœur, mais que regardent aussi chrétiens et musulmans. Les chrétiens sont présents dans ce regard vers Jérusalem et il est très important pour nous de tout faire pour que Jérusalem soit toujours un lieu significatif de dialogue, de détente et de réconciliation. Il y a certes de graves fautes du côté de l'Europe. On pourrait aussi dire des fautes des chrétiens, mais mieux vaut dire du continent européen dans toutes ses composantes. Pendant les quarante premières années du siècle précédent, l'Europe a laissé dégénérer la situation jusqu'à la Shoah, crime impardonnable qui pèsera toujours sur la conscience européenne. Depuis lors, le risque grave de l'Europe est de laisser psychologiquement Israël trop seul. La solitude psychologique d'Israël crée des réactions à l'égard des autres, et notre effort s'impose donc de ne pas laisser seul l'État d'Israël. Il est clair que tout cela implique des évaluations, une critique des actions des gouvernements, des jugements éventuellement sévères, mais avec l'esprit de ne pas laisser seul, de ne pas vouloir isoler. Je crois que c'est là un grand devoir des chrétiens d'Europe, de toutes les nations européennes, non oublieuses et conscientes de leurs très lourdes responsabilités, afin que ces très graves problèmes qui pèsent sur nous aujourd'hui puissent être considérés dans une lumière positive et puissent trouver une solution effective, avec l'aide de tous. En particulier avec l'aide de toutes ces nations qui sont de quelque façon à l'origine de tout ce qui se passe aujourd'hui. Très graves sont les responsabilités européennes dans ce qui s'est préparé là durant la dernière décennie et aussi dans les années les plus proches.

Je conclus par quelques très belles paroles qui nous viennent précisément de Jérusalem. C'est la lettre pastorale du patriarche latin, Monseigneur Sabbah, écrite à l'occasion de la Pentecôte 1990. Il parle au nom des chrétiens de Jérusalem, qui sont en grande majorité palestiniens, même s'il existe à Jérusalem des chrétiens juifs. « Aimons ce Dieu qui parle aux hommes et aimons son choix divin. Souhaitons au peuple de nos pères, Abraham, Isaac, Jacob, tout le bien que Dieu veut lui accorder. Nous croyons fermement que l'amour de Dieu pour un peuple ne peut être une injustice envers un autre peuple. Il ne faut pas permettre à la politique et au mal des hommes de défigurer l'amour de Dieu pour tous ses enfants. Abraham est le père de tous les croyants. La foi en Dieu doit rapprocher les peuples, malgré leurs conflits politiques. Le croyant doit donc entretenir un dialogue constructif avec le croyant de toute religion. La préparation des cœurs croyants, réconciliés et capables de coexister est l'exigence requise pour instaurer la paix et la justice. »

Le peuple, l'exil, le chemin

L'annonce prophétique d'Isaïe, chant de triomphe qui annonce la fin de l'exil, peut être considérée comme l'élément unificateur de ces trois thèmes bibliques : peuple, exil, chemin.

> Sortez de Babylone, fuyez de chez les Chaldéens,
> avec des cris de joie, annoncez, proclamez ceci,
> répandez-le jusqu'aux extrémités de la terre,
> dites : Yahvé a racheté son serviteur Jacob.
> (Is 48, 20.)

> Éveille-toi, éveille-toi,
> revêts ta force, Sion !
> revêts tes habits les plus magnifiques,
> Jérusalem, ville sainte…
> (Is 52, 1.)

Et encore :

> Allez-vous-en, allez-vous-en, sortez d'ici…
> vous ne sortirez pas à la hâte,
> vous ne vous en irez pas en fuyards,
> c'est Yahvé, en effet, qui marche à votre tête,
> et votre arrière-garde, c'est le Dieu d'Israël.
> (Is 52, 11-12.)

On pourrait encore citer Ézéchiel, chapitre 36 :

> Alors je vous prendrai parmi les nations, je vous rassemblerai
> de tous les pays étrangers
> et je vous ramènerai vers votre sol.
> (Ez 36, 24.)

Le peuple à qui sont adressées ces paroles, et d'autres
semblables, n'est pas un peuple quelconque, mais le peuple par
excellence, le peuple de Dieu. L'exil n'est donc pas un châti-
ment sans espérance, une exclusion de l'histoire, mais un temps
d'épreuve en vue du salut. Le chemin devient ainsi un retour
plein de confiance, comme une route de lumière sur laquelle
tous les peuples sont invités à suivre Israël :

> Debout ! Resplendis ! car voici ta lumière
> et sur toi se lève la gloire de Yahvé.
> […]. Les nations marcheront à ta lumière
> et les rois à ta clarté naissante.
> (Is 60, 1.3.)

Ainsi cette promesse du retour de l'exil touche-t-elle tous les
peuples :

> Mais moi je viendrai rassembler toutes les nations et toutes les
> langues,
> et elles viendront voir ma gloire.
> (Is 66, 18)

Sur ce chemin, guidés par l'étoile de la Rédemption, même
les plus éloignés deviennent proches du peuple d'Israël, les
peuples dispersés se rassemblent en un seul peuple, pour adorer
un seul Dieu, et construire ensemble la paix, le *shalom*
biblique. Paix et unité sont donc un seul cri prophétique, une
seule espérance, une prière d'affliction, et nous nous redisons
tout cela aujourd'hui encore, quand nous écoutons le cri des
foules de pauvres qui frappent à notre porte, des peuples
martyrs en tant de parties du monde.

Le peuple juif, de nos jours encore, dans sa perpétuelle tension entre une diaspora aux mille voix et une renaissance nationale dans l'État d'Israël, témoigne du chemin continu du particulier à l'universel et vice-versa, tendu dans sa recherche en vue de créer un peuple neuf et un homme nouveau, le vieil Adam renouvelé.

Pour les croyants en Jésus-Christ cette tension peut s'exprimer par les mots de saint Paul aux Éphésiens :

> Or voici qu'à présent, dans le Christ Jésus,
> vous [peuples païens] qui jadis étiez loin,
> vous êtes devenus proches, grâce au sang du Christ.
> Car c'est lui qui est notre paix,
> lui qui de deux réalités n'a fait qu'une,
> détruisant la barrière qui les séparait,
> supprimant en sa chair la haine
> […] pour créer en sa personne les deux
> en un seul Homme Nouveau, faire la paix,
> et les réconcilier avec Dieu,
> tous deux en un seul Corps, par la Croix :
> en sa personne il a tué la Haine.
> Il est venu proclamer la paix, paix pour vous qui étiez loin
> et paix pour ceux qui étaient proches.
> (Ep 2, 13-17.)

À la lumière de ces textes nous réfléchirons donc sur les liens entre les trois termes – le peuple, l'exil et le chemin – et nous nous poserons trois questions.

Le peuple juif peut-il, aujourd'hui encore, être mis par un chrétien dans la catégorie théologique de « peuple de Dieu », c'est-à-dire recevoir lui aussi le surnom que l'Église chrétienne se donne à elle-même ? On sait en effet que la catégorie de « peuple de Dieu » est l'une de celles que le concile Vatican II a privilégiée pour décrire l'Église. Après avoir, dans le premier chapitre de *Lumen gentium*, rappelé nombre de termes et d'images pour décrire l'Église, comme le bercail ou le champ de Dieu, la construction de Dieu, le temple, l'épouse, le corps du Christ, la constitution conciliaire développe dans son deuxième chapitre le thème du « peuple de Dieu », peuple qui « a pour chef le Christ [...] pour condition la dignité et la liberté des fils de Dieu [...] pour destinée enfin le royaume de Dieu [1] ».

En quel sens la même expression peut-elle donc désigner aussi, dans le langage théologique chrétien, les juifs d'aujourd'hui ?

Une réponse précise à cette question est importante pour définir de manière positive, et en toute rigueur théologique, le rôle providentiel et salvifique de ce peuple de Dieu qu'est aujourd'hui Israël dans une vision chrétienne de l'histoire du monde, comme aussi pour définir le rapport de compréhension et de collaboration qu'il est possible de développer entre l'Église et Israël, au-delà de l'acceptation mutuelle et de la tolérance, dans le cadre du dessein de Dieu sur le chemin des hommes.

De fait, la désignation du peuple juif d'aujourd'hui comme « peuple de Dieu » en même temps que l'Église du Christ, apparaît par exemple dans le document du Secrétariat pour l'unité des chrétiens du 4 juin 1985, intitulé « Juifs et judaïsme dans la prédication et dans la catéchèse de l'Église catholique. Matériaux pour une présentation correcte ». On y affirme que « lorsque le peuple de Dieu de l'ancienne et de la nouvelle Alliance considère l'avenir, il tend, même en partant de deux points de vue différents, vers des fins analogues : la venue ou le retour du Messie ». Et le texte continue : « La personne du Messie, sur laquelle le peuple de Dieu est divisé, constitue aussi pour ce peuple un point de convergence. On peut donc dire que juifs et chrétiens se rencontrent dans une expérience semblable, fondée sur la promesse même faite à Abraham (cf. Gn 12, 1-3 ; He 6, 13-18). »

Dans ce document, on parle donc à trois reprises d'un unique peuple de Dieu, à savoir les juifs et les chrétiens d'aujourd'hui. Quelle signification précise peut avoir une telle façon de s'exprimer, à laquelle nous ne sommes peut-être pas habitués,

1. *Lumen gentium*, 9.

et quelles conséquences implique-t-elle pour notre agir chrétien ?

Quel sens l'exil peut-il avoir pour le peuple de Dieu ? Quel est en particulier le sens de l'exil pour le peuple hébraïque biblique et quel en est le sens pour les Églises chrétiennes ? Y a-t-il une signification particulière de l'expérience de l'exil pour l'Église catholique dans son ensemble, ou en tout cas pour les réalités ou agrégats divers qui la composent ?

Le chemin de l'exil vers la patrie peut-il être de quelque manière parcouru ensemble, par les juifs et les chrétiens ? Comment touche-t-il aussi les autres peuples de la terre ?

Le peuple.

Considérons tout d'abord avec attention, dans un esprit de foi, le mystère du peuple juif, avec lequel l'Église a en commun un grand patrimoine spirituel (largement rappelé par le concile Vatican II dans le décret *Nostra aetate*, 4).

S'il est vrai, en effet, qu'il existe des différences substantielles entre chrétiens et juifs, en raison de la foi en Jésus-Christ rédempteur et de la doctrine christologique correspondante (évidentes en particulier dans les catégories théologiques aujourd'hui les plus courantes, mais moins dans les formulations judéo-chrétiennes originelles), il est vrai par ailleurs que les fils d'Israël demeurent « *carissimi propter patres* » (Rm 11, 28), participants, en tant que fils premiers-nés, des trésors spirituels de l'Alliance de Dieu avec Abraham et Moïse. Ils sont donc nos « frères aînés dans la foi d'Abraham » (Jean-Paul II, 31 décembre 1986), en tant qu'ils possèdent « l'adoption filiale, la gloire, les alliances, la législation, le culte, les promesses, les patriarches ; d'eux le Christ est issu selon la chair, lequel est au-dessus de tout, Dieu béni éternellement » (Rm 9, 4-5).

Parmi ces trésors de foi du peuple juif se trouvent en particulier les Saintes Écritures juives : la Torah, les *Nevi'im* (les Prophètes), les *Ketuvim* (les Écrits), qui sont entrés dans le canon chrétien. Le *Catéchisme de l'Église catholique*, résumant une tradition bimillénaire, affirme : « L'Ancien Testament est une partie inamissible de l'Écriture sainte. Ses livres sont divinement inspirés et conservent une valeur permanente car l'Ancienne Alliance n'a jamais été révoquée [1]. »

Le philosophe juif Franz Rosenzweig, dans son livre *L'Étoile de la rédemption* (publié en 1921) écrit : « Comme le démontre cette lutte toujours actuelle contre les Gnostiques, c'est l'Ancien Testament qui rend possible la résistance du Christianisme à ses propres périls internes », et saint Ambroise disait : « Buvez d'abord l'Ancien Testament, pour boire ensuite aussi le Nouveau. Si vous ne buvez pas le premier, vous ne pourrez boire le second [2]. »

Les trésors communs aux juifs et aux chrétiens sont également la révélation du Dieu unique, Créateur et Père, mais aussi tendre et maternel ; le don des commandements qui ont une dimension éthique universelle, d'une valeur pérenne pour l'humanité ; toute la Torah et l'étude (Talmud) de la Parole révélée.

Parmi les signes particuliers de la foi du peuple d'Israël, il faut rappeler la circoncision. Le *Catéchisme de l'Église catholique* en parle ainsi : « La circoncision de Jésus, le huitième jour après sa naissance, est signe de son insertion dans la descendance d'Abraham, dans le peuple de l'Alliance, de sa soumission à la loi, et de sa députation au culte d'Israël auquel Il participera pendant toute sa vie. Ce signe préfigure la "circoncision du Christ" qu'est le Baptême [3]. » On peut donc comprendre que saint Thomas ait longuement étudié cet événement de l'enfance de Jésus et, au terme de la *Somme*, soit arrivé à la conclusion que la circoncision « donnait la grâce », en tant que « signe de foi en la Passion future du Christ » : « *Et ideo dicendum quod in circumcisione conferebatur gratia quantum ad omnes gratiae effectus [...] in quantum erat signum*

---

1. *Catéchisme de l'Église catholique*, n. 121.
2. *Commentaire aux douze psaumes*, Ps 1, 33.
3. *Catéchisme de l'Église catholique*, n. 527.

passionis Christi futurae. » Et il ajoute, en réponse à une objection : « *Sed et circumcisio, si haberet locum post passionem Christi, introduceret in regnum* [1]. »

Les modalités d'accès au peuple d'Israël et à son mystère peuvent être nombreuses et variées. Le *Catéchisme de l'Église catholique* nous en rappelle plusieurs, dont l'épiphanie du Christ, par ces mots : « L'Épiphanie est la manifestation de Jésus comme Messie d'Israël, Fils de Dieu et Sauveur du monde. Avec le Baptême de Jésus au Jourdain et les noces de Cana, elle célèbre l'adoration de Jésus par des "mages" venus d'Orient (Mt 2, 1). Dans ces "mages", représentants des religions païennes environnantes, l'Évangile voit les prémices des nations qui accueillent la Bonne Nouvelle du salut par l'Incarnation. La venue des mages à Jérusalem pour "rendre hommage au roi des Juifs" (Mt 2, 2) montre qu'ils cherchent en Israël, à la lumière messianique de l'étoile de David, celui qui sera le roi des nations. Leur venue signifie que les païens ne peuvent découvrir Jésus et L'adorer comme Fils de Dieu et Sauveur du monde qu'en se tournant vers les juifs et en recevant d'eux leur promesse messianique telle qu'elle est contenue dans l'Ancien Testament. L'Épiphanie manifeste que la plénitude des païens entre dans la "famille des patriarches" [saint Léon le Grand, *Sermons*, 23] et acquiert la *Israelitica dignitas* [*Missel romain*, oraison après la deuxième lecture de la vigile pascale] [2]. »

À propos du peuple juif et de sa mission actuelle, on peut encore rappeler quelques affirmations pontificales autorisées :

« Dieu agit par amour gratuit. Cet amour lie Israël au Seigneur Dieu de manière particulière et exceptionnelle. Ainsi Israël est-il devenu propriété de Dieu [...]. Dans l'Alliance [du Sinaï] un nouveau peuple naît donc, qui est le peuple de Dieu [...]. Israël est appelé à être un peuple de prêtres [3]. »

« "Israël fait l'expérience d'un Dieu personnel et sauveur"

---

1. *Somme théologique*, IIIa, q. LXX, art. V, corpus et ad 4.um.
2. *Catéchisme de l'Église catholique*, n. 528.
3. Jean-Paul II, Catéchèses du mercredi, 16 août 1989.

(cf. Dt 4, 37 ; 7, 6-8 ; Is 43, 1-7), dont il devient le témoin et le porte-voix au milieu des nations. Au cours de son histoire Israël prend conscience que sa mission a une signification univer-selle (cf., par exemple, Is 2, 2-5 ; 25, 6-8 ; 60, 1-6 ; Jr 3, 17 ; 16, 19) [1]. »

Grâce à ces brèves citations, nous pouvons peut-être entrer mieux dans les profondeurs du mystère de ce peuple qu'est le peuple juif, et de la communion consécutive qui nous lie à lui à partir des racines de l'Église, peuple de l'Alliance renouvelée et éternelle. Le pape Jean-Paul II résumait ainsi (le 6 décembre 1990) les éléments fondamentaux sur lesquels développer aujourd'hui les relations religieuses entre ces deux parties du peuple de Dieu : « Quand nous considérons la tradition juive, nous observons à quel point vous vénérez profondément la sainte Écriture, la *Miqrah* et en particulier la *Torah*. Vous vivez une relation particulière avec la *Torah*, vivant enseignement du Dieu vivant. Vous l'étudiez avec amour, dans le *Talmud Torah*, pour la pratiquer dans la joie. Son enseignement de l'amour, de la justice, du droit, est répété chez les prophètes – *Nevi'im* – et dans les *Ketuvim*. Dieu, sa sainte *Torah*, la liturgie synagogale et les traditions familiales, sont sans nul doute des éléments caractéristiques de votre peuple, du point de vue religieux. Et ces éléments constituent le fondement de notre dialogue et de notre coopération. »

Le récent « Accord fondamental » entre le Saint-Siège et l'État d'Israël (30 décembre 1993) fait clairement référence aussi à ces relations toutes particulières entre l'Église et le peuple juif.

L'exil.

L'expérience de l'exil, de l'éloignement de la patrie, est présente dès les origines du récit biblique : Adam et Ève sont exilés du paradis, Caïn fuit, errant, après le fratricide, les

1. JEAN-PAUL II, *Redemptoris missio*, 12.

peuples se dispersent loin de Babel. L'exil et la prison touchent ensuite plus directement le peuple hébreu : Joseph est vendu comme esclave aux Égyptiens, Israël – le peuple du Nord – est soumis aux Assyriens en 722 av. J.-C., Juda et Jérusalem enfin sont détruits par les Babyloniens en 586 av. J.-C. Vient ensuite le dernier exil, apparemment interminable, de 70 de notre ère à 1948, année de la renaissance d'un État d'Israël sur la terre des ancêtres.

Comme nous l'avons déjà vu à propos du peuple de Dieu, dans l'expérience de l'exil reviennent également certaines dimensions fondamentales de la vie d'Israël : son rapport avec le Dieu de l'Alliance, avec la terre de sainteté, avec les autres peuples au milieu desquels il est dispersé. Enfin, presque à la limite de toute expérience vécue et imaginable, se situe un abîme d'horreur indicible qui a conduit, au-delà de l'exil, jusqu'au fond d'une nuit obscure, le peuple juif en Europe sous le pouvoir nazi : l'extermination systématique, la Shoah.

Alors qu'avec l'exil on pouvait espérer qu'un « reste reviendrait », germe saint de la rédemption, cette espérance est niée par la Shoah dans son principe même.

On peut dire qu'avec la Shoah une double sortie de l'exil apparaît possible : soit comme rédemption (le retour traditionnel annoncé par les prophètes), soit comme antirédemption (la sortie diabolique de l'annihilation du peuple juif).

En soi, l'exil ne détruit pas le rapport entre Dieu et son peuple ; au contraire, il en rend l'exigence plus aiguë, il le fait mûrir, en prédisposant à la conversion et à la rédemption. En contraignant à quitter Jérusalem, l'exil fait comprendre, dans la douleur, toute la profondeur et la valeur spirituelle du Saint des saints et des sacrifices, interrompus avec la destruction du Temple. La *Shekinah*, la Gloire de Dieu, n'abandonne pas pour autant le peuple, mais part avec lui en exil, au milieu des nations païennes, continuant ainsi à préparer la diffusion universelle du message du salut adressé au début à un seul peuple particulier. Le prophète Ézéchiel voit la gloire de Dieu chez les déportés de Babylone, et l'annonce par ces mots : « J'arrivai à Tell Abib, chez les exilés installés près du fleuve

Kebar ; c'est là qu'ils habitaient [...] et voilà que la gloire de Yahvé y était arrêtée » (Ez 3, 15.23) : le prophète décrit aussi l'exil de la *Shekinah* :« La gloire de Yahvé sortit de sur le seuil du Temple » (Ez 10, 18).

Et un texte de la tradition postérieure ajoute, dans cette sentence du rabbi Shimon ben Jochaj : « Viens et regarde comme Israël est cher au Saint, béni soit-il : en tout lieu où ils furent exilés la présence de Dieu était avec eux » (Meghillot 29a).

Dans l'exil millénaire s'élèvent, poignantes, les lamentations attribuées à Jérémie et les élégies, lourdes d'émotion et de pleurs, pour le Temple détruit. L'exil est un appel constant à la conversion du péché et à la mission d'Israël parmi les nations païennes.

En ce sens, l'exil d'Israël est un cas typique pour tout événement semblable de l'histoire. L'exil, en effet, est une situation douloureuse et souvent dramatique qui, de manières diverses, touche un grand nombre de personnes et de groupes sociaux. De nos jours encore, les phénomènes de l'émigration, des guerres, des fuites de populations entières nous concernent tous.

La réponse exemplaire offerte par le peuple juif peut ainsi être considérée comme paradigmatique : dans les situations d'exil, la prière jaillit plus intense, la conscience de la fraternité mûrit, de nouveaux liens et structures de solidarité se créent.

Tout autre est la situation de cet au-delà de l'exil que constitue la Shoah. L'immensité du martyre du peuple juif semble ici nous inviter à un silence infini, d'où pourrait jaillir une proposition, un geste, un cri de pardon pour le mal perpétré. La conversion, après la Shoah, est un appel urgent et nécessaire, non pour le peuple juif en exil, mais pour ceux qui ont conçu et organisé l'extermination de ce peuple et, avec lui, absurdement, l'anéantissement de Dieu lui-même, si possible. Le paganisme absolu et monstrueux est apparu au centre de l'Europe du XXᵉ siècle, deux mille ans après l'annonce de l'Évangile.

Souvent, hélas ! nous devons reconnaître que la doctrine

chrétienne avait proposé un « enseignement du mépris » au sujet de nos frères juifs. Après la Shoah, nous devons le remplacer par « l'enseignement du respect », de la connaissance, de l'estime, de l'amour fraternel. Nous devons aussi veiller attentivement à ce que les sentiments du passé ne reviennent jamais plus, ni dans l'Église, ni chez les jeunes, ni dans la société. Nous avons besoin nous aussi de la conversion, la *teshuvah*, pour reprendre ensemble le chemin du salut. Prions le Seigneur qu'il nous donne un œil neuf et des énergies nouvelles pour ce pèlerinage.

En effet, le peuple juif, en nous aidant à comprendre le sens de tout éloignement douloureux de la patrie, nous invite à réfléchir sur des formes particulières d'exil qui touchent de près le peuple des chrétiens, le peuple de tous les croyants en Christ (catholiques, orthodoxes, protestants) et également le sens des expériences d'exil pour les catholiques, dans leur totalité ou en des groupes et rassemblements divers.

Il y a tant d'événements historiques qui peuvent être interprétés comme l'exil d'une patrie, d'une culture, d'un contexte culturel, social et politique auquel on s'était habitués et aussi un peu adaptés. En ce sens, toute privation d'un enracinement antérieur, d'une terre sûre sous les pieds, d'un terrain sur lequel on peut compter, d'un palais ou d'une maison spirituelle à habiter dans la paix est une épreuve, une souffrance, souvent aussi une étape douloureuse, un traumatisme.

On peut y réagir avec rage, ou avec une nostalgie résignée et passive, ou encore en fermant les yeux sur l'évidence, en refusant que ce qui est soit, ou en voulant à tout prix revenir à ce qui fut.

Il est possible au contraire de réagir comme les prophètes l'ont enseigné à Israël : en reconnaissant la main de Dieu, en se laissant purifier par l'épreuve, en en cherchant le sens.

Une forme particulière d'exil, de privation de la patrie, est celle de l'exil culturel, de l'évanouissement progressif d'évidences idéologiques qui constituaient la toile de fond sur laquelle nous pouvions exprimer notre pensée, de la disparition d'habitudes qui nous semblaient aller de soi. Il est, disons-le, certaines certitudes qui ne disparaîtront jamais : celles qui concernent l'amour de Dieu répandu dans nos cœurs par l'Esprit-Saint, l'amour par lequel le Christ nous a aimés jusqu'à la mort. Sur cela il ne peut y avoir de doute. Ici, comme le dit saint Paul, « l'espérance ne déçoit pas » (Rm 5, 5). Mais il y a en revanche des jugements catégoriels, des habitudes mentales, des processus idéologiques sur lesquels nous comptions, qu'il est bon de remettre parfois en question, pour saisir ce qui est essentiel. L'exil devient alors un aiguillon pour la route.

Le chemin.

L'Église croit être le peuple de Dieu pèlerin dans le monde, peuple qui a besoin de conversion et est appelé à être, dans le Christ, porteur de paix entre les hommes et les peuples.

En même temps, et avec une force égale, l'Église reconnaît également dans le peuple juif un peuple appelé lui aussi à une mission particulière de sainteté et de paix dans le monde.

Penseurs, théologiens et exégètes ont le devoir de réfléchir sur les divers aspects de ce peuple de Dieu qui se présente en deux communautés de foi différentes. Mais le fait que nous ayons repris, après deux mille ans d'éloignement, d'incompréhensions, de persécutions, à nous parler et à cheminer ensemble, travaillant ensemble pour la paix et la justice, est une preuve sans doute plus grande que les démonstrations théologiques, dont nous avons aussi un urgent besoin. C'est ce qu'affirmait, le 2 février 1994, à Jérusalem, le cardinal Ratzinger, durant un congrès interreligieux : « Je pense que notre devoir principal est devenu plus clair […]. Juifs et chrétiens devraient s'accepter mutuellement dans un profond esprit de réconciliation intérieure, sans relativiser ou nier leur propre foi ni celle d'autrui, mais en raison même des racines de leur foi. De leur réconciliation mutuelle devrait naître une force de paix dans le monde et pour le monde. Par leur témoignage au Dieu unique, qui ne peut être adoré sans un amour unique pour Dieu et le prochain, ils devraient ouvrir à Dieu la porte du monde, de sorte que sa volonté "soit faite sur la terre comme aux cieux", pour que "son règne vienne".

Notre cheminement, ensemble, est un pèlerinage actif et priant vers la cité de Dieu, la Jérusalem céleste, vers celle que nous pouvons appeler "notre terre", "notre pays". »

Nous pouvons écouter à cet égard l'une des grandes prières qui nourrissent la foi du peuple juif en chemin, la *Ahavà rabbà* :

> D'un grand amour tu nous as aimés, Seigneur, notre Dieu ; tu as fait de nous l'objet d'une grande, d'une infinie pitié. Notre Père, notre Roi, grâce à nos ancêtres qui ont eu foi en toi et à qui tu as enseigné tes préceptes de vie, sois-nous propice aussi et instruis-nous. Notre Père, Père miséricordieux, clément, aie pitié de nous et donne à notre cœur la faculté de discerner et de comprendre, d'écouter, d'apprendre et d'enseigner, d'observer et de pratiquer avec amour toutes les paroles que nous étudions dans ta *Torah*. Illumine nos cœurs par la lumière de ta Loi, attache notre cœur à tes commandements et dispose notre esprit à l'amour et à la crainte de ton Nom, de sorte que nous n'ayons jamais à rougir. Nous avons confiance en ton saint Nom, grand et vénérable, et c'est pourquoi nous jubilerons et nous [nous] réjouirons de ton secours. Réunis-nous en paix des quatre coins de la terre et ramène-nous la tête haute dans notre pays, puisque tu es Dieu, auteur du salut, et que tu nous as choisis parmi tous les peuples et toutes les langues et nous as attachés à ton grand Nom pour que nous te louions et proclamions avec ardeur ton unité. Bénis sois-tu Seigneur, qui dans ton amour as choisi ton peuple Israël.

Le but et le centre de ce chemin des peuples est Jérusalem. Levons les yeux vers elle, notre cœur prie pour sa paix. Mais nous n'oublierons pas pour autant l'immense et urgente souffrance du monde. Travaillons ensemble, ici, partout.

Parmi les tâches communes, je voudrais rappeler aussi celle contenue dans les accords entre le Saint-Siège et l'État d'Israël, pour combattre toute forme d'antisémitisme et tous les types de racisme et d'intolérance religieuse. Cette tâche doit être assumée sans relâche, dans tous les domaines.

D'autres terrains et modalités de collaboration ont été définis par le Comité international catholique-juif, qui a été institué en 1970. On y a discuté les thèmes de la famille, de l'écologie et des droits de l'homme. Pour la première fois, peut-être depuis l'an 49, c'est-à-dire depuis le « concile de Jérusalem », des thèmes et préceptes religieux explicitement élaborés par la communauté et la tradition juive et par la communauté chrétienne (dans ce cas en matière familiale) ont été affirmés comme tels, et sont entrés comme tels dans un document commun sur la famille. Dans cette déclaration commune, on affirme « la valeur sacrée du mariage stable et de la famille [...]. La famille est la ressource la plus précieuse de l'humanité. Pour les juifs et les chrétiens elle est une communauté stable d'amour et de solidarité fondée sur l'Alliance de Dieu ».

En marchant ensemble nous commençons à expérimenter et à comprendre que l'identité chrétienne n'a pas besoin, pour s'affirmer, de nier l'identité juive et la Torah, ni, vice versa, que l'identité juive s'affirme en niant la valeur de l'Église, peuple de l'Alliance renouvelée dans le sang du Christ. Plus fortement encore, et de façon asymétrique, nous chrétiens avons besoin, pour comprendre l'Église, d'affirmer l'identité juive et la Torah. Franz Rosenzweig l'affirme de manière efficace : « Si le chrétien n'avait pas le juif sur le dos, il se perdrait, où qu'il se trouve. »

Conclusion.

Je vois un grand avertissement et une grande mission. Il faut affirmer sa propre identité non dans l'opposition mais dans l'ouverture et dans la compréhension.

Nous pourrons nous comprendre nous-mêmes toujours mieux si nous nous efforçons de comprendre, d'aimer, d'apprécier les autres, même très différents, en cherchant les racines de l'engagement commun.

À propos de l'engagement commun pour la famille, le document judéo-chrétien cité plus haut dit encore :

> La société est appelée à soutenir les droits de la famille et des membres de la famille, spécialement des femmes et des enfants, du pauvre et du malade, du tout-petit et du vieillard, à une sécurité physique, sociale, politique et économique. Les droits, devoirs et chances des femmes tant à la maison que dans la société plus large doivent être respectés et promus. En affirmant la famille, nous voulons rejoindre en même temps aussi d'autres personnes comme les célibataires, les familles monoparentales, les veufs et les veuves et ceux qui n'ont pas d'enfants, dans notre société et dans nos synagogues. Étant donné la dimension mondiale de la question sociale aujourd'hui, le rôle de la famille s'est étendu jusqu'à impliquer une coopération dans un sens nouveau de la solidarité internationale.

Notre éloignement réciproque, juifs et chrétiens, a duré vingt siècles, nous nous sommes infligés mutuellement un exil injuste qui nous a privés et a privé le monde de richesses spirituelles immenses. Nous avons vécu, ensemble, un exil de la Terre de Dieu et de la maison du frère. Voici venu le temps propice, le moment favorable : travaillons en frères pour que les autres frères, les autres peuples, passent de l'exil au chemin en commun, au pèlerinage saint vers la Jérusalem qui est notre mère, cité de paix et de justice.

La route de la rencontre fraternelle avec Israël passe par Auschwitz

En Pologne, non loin de Cracovie, se dresse la petite ville d'Oswiecim. Un grand bout de campagne conserve encore la structure et le nom du camp d'extermination allemand où, voilà cinquante ans, furent exterminés les juifs : Auschwitz-Birkenau. Martyrs et héros, petits enfants et vieillards furent envoyés aux chambres à gaz. Bien que beaucoup d'autres innocents, polonais et de toutes les nations européennes, parmi lesquels Maximilien Kolbe, des tziganes, des homosexuels, aient trouvé ici une mort horrible, Auschwitz est aujourd'hui pratiquement reconnu comme le lieu symbolique de la Shoah, le génocide du peuple juif en Europe.

Mais il peut être considéré aussi comme le symbole plus vaste d'une barbarie et d'un dessein criminel qui sévit sur l'Europe en multipliant les gestes gratuits de cruauté. Parce que, comme l'écrit Giuseppe Dossetti dans l'introduction de *Le querce di Montesole* : « Auschwitz n'a pas été un simple épisode isolé, encore que terrible, ni une certaine période de l'histoire moderne, mais un tournant, une ère nouvelle dans laquelle le progrès technologique, la planification politique, les systèmes bureaucratiques contemporains et la totale disparition des liens moraux traditionnels se sont combinés pour faire de la destruction humaine de masse une possibilité toujours présente [1]. » Le pape Jean-Paul II s'est rendu à Auschwitz lors

---

1. *Le querce di Montesole, vita e morte delle comunità martiri nell'Appennino bolognese*, Bologne, Il Mulino, 1986, p. XXVI.

de l'un de ses premiers pèlerinages, en juin 1979, pour rendre hommage aux victimes de la Shoah, pour témoigner que ce n'est qu'en rappelant et en apprenant à faire mémoire que nous pourrons nous ouvrir à la conversion, au pardon, à l'espérance. Les monstres du nationalisme, du racisme, du fanatisme idéologique et religieux peuvent encore fasciner de nouvelles générations, si nous les privons de la mémoire.

À Auschwitz, nous sommes nous aussi appelés, à l'aube du troisième millénaire de la rédemption, quasi comme à une station douloureuse sur la route du Sinaï et de Jérusalem. La route de la rencontre fraternelle avec Israël passe désormais nécessairement par Auschwitz. Et là passent aussi beaucoup d'autres routes de rencontre entre hommes et femmes de la fin de ce siècle : ici on fait silence, on réfléchit et on prie, d'ici jaillit l'engagement de construire ensemble un monde de paix.

Une grave responsabilité éducative.

Afin que la prophétie de la paix se réalise, il faut des cœurs éduqués au respect, à la rencontre, au dialogue.

Il suffit de penser à ce que fut et ce que signifia la publication du *Manifesto della razza*, le 5 septembre 1938, en Italie. Nous manquait alors une culture capable d'entendre le cri de Pie XI : « nous sommes spirituellement des Sémites », « l'antisémitisme est inadmissible ». Positivement, il nous revient d'élaborer une théologie, une exégèse, une histoire et une jurisprudence qui, après la tragédie de la Shoah, n'oublient pas la dimension éthique permanente de la situation humaine et l'appel particulier du peuple juif par Dieu.

Il y a en effet, hélas ! du vrai dans ce qu'écrivait Élie Wiesel en 1977, après des décennies de témoignage sur ce mystère de mort qu'est Auschwitz : « Le témoignage n'a pas été entendu. Le monde est toujours le même [1]. » Et un autre penseur juif,

---

1. Élie WIESEL, « Art and Culture after the Holocaust », dans : *Auschwitz : Beginning of a New Era ?*, New York, KTAV Publishing Co., 1977, p. 405.

S. Shapiro en suggérait la raison : « Le témoignage est entendu au sein d'un contexte inhospitalier, d'une théologie inentamée et d'une herméneutique traditionnelle [1]. » Giuseppe Dossetti, dans le livre cité plus haut, fait sur ce point un intéressant commentaire [2].

Construire le « shalom ».

Les prophètes d'Israël nous invitent encore à regarder vers Jérusalem avec espérance, pour devenir des bâtisseurs de paix : « Crie de joie, fille de Jérusalem ! Voici que ton roi vient à toi [...] l'arc de guerre sera retranché. Il annoncera la paix aux nations » (Za 9, 9.10).

Voici le programme que le concile Vatican II indiquait dans le décret *Nostra aetate*, après avoir rappelé le lien sacré qui lie l'Église et Israël : « Nous ne pouvons invoquer Dieu, Père de tous les hommes, si nous refusons de nous conduire fraternellement envers certains des hommes créés à l'image de Dieu [...]. Par là est sapé le fondement de toute théorie ou de toute pratique qui introduit entre homme et homme, entre peuple et peuple, une discrimination en ce qui concerne la dignité humaine et les droits qui en découlent [3]. »

Juifs, chrétiens, hommes et femmes de bonne volonté, la tragédie de la Shoah nous oblige à coopérer pour construire la cité de l'homme dans la paix, la cité de Dieu dans la paix, le *shalom*.

Je conclus par les mots de Primo Levi, inscrits à l'entrée du Mémorial des Italiens enterrés à Auschwitz : « Visiteur, observe les vestiges de ce camp et médite. D'où que tu viennes, tu n'es pas un étranger. Fais que ton voyage n'ait pas été inutile,

---

1. Voir *Concilium* (1984) 5, 19.
2. *Le querce di Montesole*, p. XXVI-XXVII.
3. CONCILE VATICAN II, *Nostra aetate*, 5.

que notre mort ne soit pas inutile. Pour toi et pour tes enfants les cendres d'Auschwitz ont une valeur d'avertissement. Fais que le fruit horrible de la haine, dont tu as vu ici les traces, ne donne pas de nouvelles graines, ni demain ni jamais. »

IV

PAIX DANS LES MURS
DE LA VILLE SAINTE

Un cri d'intercession

Une prière pénitentielle.

Face à tout conflit sanglant qui nous implique, il faut nous mettre dans le contexte de la prière pénitentielle de Néhémie (Ne 9) : celui de l'invocation, de l'intercession, de la repentance, de la pénitence.

Mais ici naît la question : n'est-ce pas là un contexte stérile ? Ne nous fait-il pas éluder les problèmes, les enjamber, pour ainsi dire, sans les résoudre ?

Certes, pour qui a peu ou pas de foi, il n'est pas d'autre langage que celui des arguments humains et, en particulier, des arguments forts.

Le croyant, toutefois, ne peut se contenter de cela : pour lui, il existe un espace inexploré de la foi qui embrasse et pénètre bien plus profondément au cœur des événements humains.

Les discussions qui se déroulent sur le plan de l'éthique politique ou du droit des gens ont toujours pour nœud de référence cette question : qu'est-ce qui est juste et qu'est-ce qui ne l'est pas ? Et derrière cette question nous en trouvons une autre : qui est dans la justice et qui n'y est pas ?

Questions légitimes, qu'il ne faut pas occulter.

Confessons nos péchés.

Je reprends les mots de conclusion de la prière de Néhémie : « Nous sommes en grande détresse » (Ne 9, 37).

Je le dis et j'en témoigne : mon cœur est troublé, ma conscience est déchirée, mes pensées sont dans le désarroi. Nous tous, sans exception, croyants et non-croyants, pouvons le répéter : nos cœurs sont troublés, nos consciences sont déchirées, nos pensées sont dans le désarroi, nos opinions tendent à se diviser.

Ce désarroi et cette angoisse ne nous impliquent pas seulement sur le plan du deuil pour les morts, des larmes pour tous les blessés, de la douloureuse lamentation pour les réfugiés, pour les sans-terre, pour ceux qui vivent dans l'angoisse des bombardements nuit et jour.

Le désarroi et la division des opinions se situent aussi sur le terrain des réflexions ethico-politiques, qui se succèdent en énonçant les jugements les plus divers.

Je voudrais aller beaucoup plus loin : le désarroi et l'angoisse touchent jusqu'au domaine de la foi et de la prière. Pourquoi ? La réponse est très simple. Parce que nous vient spontanément aux lèvres cette question, presque une protestation adressée à Dieu : nous avons déjà prié, nous avons tant demandé la paix, nos enfants ont prié, nos malades ont prié en offrant leurs souffrances, mais toi, Seigneur, tu ne nous as pas entendus ! (Voir Ps 88, 15 ; 44, 25 ; 22, 3.5.)

Voilà un grand motif de notre souffrance, profane, humaine, religieuse, qui touche le cœur de la foi : pourquoi, Seigneur, ne nous écoutes-tu pas ? Pourquoi caches-tu ton visage ? Pourtant nos pères ont espéré en toi, ils ont espéré et tu les as délivrés. Mais moi je crie la nuit et tu n'entends pas, le jour, et tu ne t'en rends pas compte !

Les paroles des Psaumes nous viennent sur les lèvres, des paroles que nous n'avons pas inventées, qui ont été prononcées par les croyants d'Israël depuis plus de deux mille ans, eux qui se sont déjà trouvés devant Dieu avec cette lamentation et cette angoisse au cœur.

Et nous faisons également nôtres les paroles amères de confession et de repentance du prophète Néhémie, qui renvoient à une douloureuse lamentation du peuple d'Israël, en un moment obscur de l'histoire, plusieurs siècles avant le

Christ. Nous sentons naître en nous le cri : nous avons péché comme nos pères ! « En tout ce qui nous est advenu tu as montré ta fidélité, alors que nous agissions mal » (Ne 9, 33).

Nous entrevoyons une première raison de n'avoir pas été entendus. Dans nos prières nous ne sommes pas partis d'une franche reconnaissance et repentance de nos fautes : « Tant qu'ils furent en leur royaume, dit Néhémie, parmi les grands biens que tu leur accordais [...] ils ne t'ont point servi et ne se sont pas détournés de leurs actions mauvaises » (Ne 9, 35).

Confessons-le : nous sommes attachés à notre bien-être, nous en avons profité de toutes les manières, nous l'avons érigé en idole et nous avons prétendu que toi, ô Dieu, tu devais nous exaucer, dans la crainte que ce bien-être vienne à nous manquer !

Je voudrais lire une belle prière de Paul VI, écrite voilà bien des années, dans laquelle il dit entre autres : « Seigneur, nous avons encore les mains ensanglantées par les dernières guerres mondiales [...]. Seigneur, nous sommes aujourd'hui armés comme nous ne l'avons jamais été jusqu'alors, et nous avons tant d'instruments de mort que nous pourrions, en un instant, incendier la terre et peut-être détruire aussi l'humanité. Seigneur, nous avons fondé le développement et la prospérité de beaucoup de nos industries colossales sur la capacité démoniaque de produire des armes de tous calibres, toutes conçues pour tuer et exterminer les hommes nos frères ; ainsi avons-nous établi l'équilibre cruel de l'économie de nombre de nations puissantes sur la vente des armes aux nations pauvres, privées de charrues, d'écoles et d'hôpitaux. »

Paul VI fait donc passer, dans cette prière, bien des péchés sociaux de notre époque, péchés particulièrement évidents mais que nous tentions de tenir à l'écart, auxquels nous nous efforcions de ne pas penser.

Nous ne pouvons cependant nous cacher que ces égoïsmes manifestes ont des origines obscures et ténébreuses au fond de nos cœurs.

Nous n'avons pas su faire un examen de conscience en profondeur.

Quelqu'un a dit avec justesse : « Les fleuves de sang sont toujours précédés de fleuves de boue. » Nous avons un peu tous pataugé dans ces torrents, hommes et femmes de tous pays et latitudes : les immoralités de la vie, les égoïsmes personnels et collectifs, la corruption politique, les trahisons et les infidélités sur le plan interpersonnel et familial, le je-m'en-foutisme, l'indolence et le gaspillage des énergies de la vie pour des choses vaines, frivoles ou dommageables, l'insensibilité face aux millions d'êtres humains dont la vie est annihilée par l'avortement, la tête que l'on détourne devant les misères de ceux qui sont proches ou viennent de loin, le commerce de la drogue.

Oui, nous nous sommes laissés embarquer dans ces torrents de boue, et parfois nous nous sommes aussi divertis de façon insouciante et irresponsable.

Et nous voudrions que Dieu réponde à une prière née souvent de la peur de perdre nos commodités, notre bien-être, de devoir payer un jour en personne pour nos erreurs !

Quand une guerre se déclenche, ce n'est pas que les choses se soient mises en mouvement par hasard ou par erreur : il existe des responsabilités précises, que nul ne peut fuir. Il y a une guerre parce que, pendant longtemps, on a laissé s'établir des situations injustes, on a certes espéré la paix, mais en oubliant ce que Jean XXIII appelait « les quatre piliers de la paix » : la vérité, la justice, la liberté et l'amour. Toute faute publique et privée contre ces quatre piliers, tout acte de mensonge, d'injustice, de possession égoïste et de domination sur l'autre, tout préjugé et toute haine, ont creusé la sape et l'édifice s'est écroulé sous nos yeux.

Parce que la paix est un édifice indivisible, et que chacun de nous porte sa part de responsabilité dans sa destruction.

Toute prière sérieuse pour la paix doit donc naître de la repentance et de la volonté de reconstituer avant tout, dans notre vie personnelle et communautaire, ces « quatre piliers ». Sans cette volonté humble et sincère, notre prière et notre invocation sont hypocrites.

Le don évangélique d'un cœur pacifique.

Il me semble pouvoir apporter une deuxième raison pour laquelle notre prière n'a pas été exaucée.

Je crains que, souvent, nous ne l'ayons pas bien orientée. Nous avons demandé la paix comme une chose qui concernait les autres ; nous avons insisté pour que Dieu change le cœur de l'autre, naturellement dans le sens que nous voulions.

En réalité, le premier objet d'une authentique prière pour la paix, c'est nous-mêmes : pour que Dieu nous donne un cœur pacifique. *« Dona nobis pacem »* signifie avant tout : Purifie, Seigneur, mon cœur de toute velléité d'hostilité, de sectarisme, de parti pris, de connivence ; purifie-moi de toute antipathie, de tout préjugé, égoïsme de groupe, de classe ou de race.

Tous ces sentiments négatifs sont incompatibles avec la paix. Ils apparaissent pourtant de façon voyante en notre temps, stimulés par les informations, les images que nous regardons, stimulés par les vibrations des voix qui nous apportent les nouvelles de la guerre, par la curiosité même, excitée par un conflit dont la technologie frise l'incroyable.

Ainsi, alors que nous prions pour la paix, au fond du cœur nous finissons par prendre parti, par juger, par souhaiter le succès guerrier de celui-ci ou de celui-là. L'instinct se déchaîne, l'imagination se donne libre cours, et la prière ne tend pas vers cette purification du cœur, des sens, des émotions et des pensées qui seule s'attache aux ouvriers de paix selon l'Évangile.

Être ouvrier de paix selon l'Évangile est exigeant ; c'est un don qui ne s'achète pas bon marché, car il vient de l'Esprit et il faut accepter d'en payer le prix.

La véritable prière d'intercession.

Quel est le sens profond d'une véritable prière pour la paix, qui soit une prière d'intercession au sens biblique, semblable à la prière d'Abraham, à la prière de Jésus sur Jérusalem ?

Intercéder ne veut pas seulement dire « prier pour quelqu'un », comme on le pense souvent. Étymologiquement, cela signifie « faire un pas au milieu », faire un pas de manière à se mettre au milieu d'une situation.

L'intercession veut dire alors se mettre là où le conflit a lieu, se mettre entre les deux camps en conflit.

Il ne s'agit donc pas seulement d'exprimer un besoin devant Dieu (Seigneur, donne-nous la paix !), en restant à l'abri.

Il s'agit de se mettre au milieu. Ce n'est pas non plus assumer simplement la fonction d'arbitre ou de médiateur, cherchant à convaincre l'un des deux qu'il a tort et qu'il doit céder, ni d'inviter l'un et l'autre à faire quelque concession réciproque, à aboutir à un compromis. On resterait encore dans le champ de la politique et de ses maigres ressources. Celui qui se comporte ainsi demeure étranger au conflit, peut s'en aller à tout moment, en se lamentant peut-être de n'avoir pas été entendu.

Intercéder est une attitude beaucoup plus sérieuse, grave et qui engage, c'est quelque chose de beaucoup plus dangereux. Intercéder c'est être là, sans bouger, sans issue, cherchant à mettre la main sur l'épaule des deux adversaires en acceptant le risque de cette position.

On trouve dans la Bible une page éclairante à ce propos. Au moment où Job se trouve, quasi désespéré, devant Dieu qui lui apparaît comme un adversaire, avec qui il ne réussit pas à se réconcilier, il s'écrie : « Pas d'arbitre entre nous pour poser la main sur nous deux » (Jb 9, 33).

Donc non pas quelqu'un de lointain, qui exhorte à la paix ou à prier de façon générale pour la paix, mais bien quelqu'un qui se met au milieu, qui entre au cœur de la situation, qui étend les bras à droite et à gauche pour unir et pacifier.

C'est le geste de Jésus-Christ sur la Croix, le geste du Crucifié. Lui est venu se mettre au milieu d'une situation incurable, d'une inimitié arrivée à l'état de putréfaction, au milieu d'un conflit sans solution humaine. Jésus a pu se mettre au milieu parce qu'il était solidaire des deux parties en conflit ;

plus encore, les deux éléments en conflit coïncidaient en lui : l'homme et Dieu.

Mais la position de Jésus est celle de qui met aussi en jeu sa mort pour cette double solidarité : c'est celle de qui accepte la tristesse, l'insuccès, la torture, le supplice, l'agonie et l'horreur de la solitude existentielle jusqu'à s'écrier : « Mon Dieu, mon Dieu, pourquoi m'as-tu abandonné ? » (Mt 27, 46.)

Telle est l'intercession chrétienne évangélique. Il y faut une double solidarité. Cette solidarité est un élément indispensable de l'acte d'intercession. Je dois pouvoir et vouloir embrasser avec amour et sans sous-entendus toutes les parties en cause. Je dois résister à cette situation même si je ne comprends pas ou si je suis repoussé par l'un ou l'autre, même si je paie de ma personne. Je dois persévérer aussi dans la solitude et dans l'abandon. Je dois n'avoir confiance qu'en la puissance de Dieu, je dois faire honneur à la foi en celui qui ressuscite les morts.

Cette foi est difficile, et cela explique que la véritable inter-cession le soit aussi. Mais si nous n'y tendons pas, notre prière sera faite avec les lèvres, et pas avec la vie.

Naturellement, une semblable attitude ne piétine absolu-ment pas les exigences de la justice. On ne peut jamais mettre sur le même plan les assassins et les victimes, les transgres-seurs de la loi et ses défenseurs. Mais, quand je regarde les personnes, aucune ne m'est indifférente, je n'éprouve de haine pour aucune et je ne hasarde pas de jugement intérieur ; je ne choisis pas non plus de me mettre du côté de celui qui souffre pour maudire celui qui le fait souffrir. Jésus ne maudit pas ceux qui le crucifient, mais il meurt pour eux, en disant : « Père, pardonne-leur, ils ne savent ce qu'ils font » (Lc 23, 34).

Si ma prière n'atteint pas cette double solidarité, si j'inter-cède pour que le Seigneur secoure l'un et abatte l'autre, si j'ignore encore le besoin de salut de celui qui a éventuellement tort, de celui qui a choisi contre Dieu et contre son frère, si je l'abandonne et ne lui mets pas la main sur l'épaule, ma prière n'est pas une prière d'intercession.

Dans la mesure où nous faisons des choix exclusifs dans

notre cœur, où nous condamnons et jugeons, nous ne sommes plus avec Jésus-Christ, dans la situation que lui a choisie, et nous devons douter de la validité et de l'authenticité de notre prière d'intercession.

Cette façon de se mettre au milieu doit être conçue comme définitive : ce n'est pas une tactique pour traiter une urgence. Elle est appelée à devenir une manière d'être chez celui qui veut travailler à la paix, le chrétien qui suit Jésus. Nous n'avons pas le droit de rester dans une situation difficile seulement dans la mesure où elle est supportable. Il nous faut vouloir rester jusqu'au bout, au prix de notre mort intérieure. Ainsi seulement nous sommes les disciples de ce Jésus qui ne s'est pas dérobé au jardin des Oliviers.

Nous nous rendons compte qu'une véritable intercession chrétienne est difficile ; elle ne peut être faite que sous l'Esprit-Saint et nous savons qu'elle ne sera pas comprise de tous. Mais si elle suscite un désir, c'est celui-ci : être sur place dans le conflit, là où des citoyens sans défense sont menacés et assassinés. Rester là purement passifs, sans aucune action politique ni aucun cri de protestation, en nous fiant à la seule force de l'intercession. Être là, comme Marie au pied de la Croix, sans maudire personne et sans juger personne, sans crier à l'injustice ou invectiver contre quelqu'un.

Si le conflit au Proche-Orient doit être abrégé, et nous le demandons de tout notre cœur, si la force des négociations vient de nouveau à bout de la force maligne des instruments de mort, ce sera certainement aussi parce que dans les ruelles des villes d'Orient, autour des mosquées ou sur l'esplanade du mur occidental de Jérusalem, là où les juifs se rassemblent pour prier, il y a de petits hommes et de petites femmes sans aucune importance, qui se tiennent là, ainsi, en prière, sans craindre autre chose que le jugement de Dieu ; prostrés, comme le dit Néhémie, devant le Seigneur leur Dieu, confessant leurs péchés et ceux de tous leurs amis et ennemis, jusqu'à ce que s'accomplisse la grande prophétie d'Isaïe : « Ce jour-là, il y aura un chemin allant d'Égypte à Assur [antique territoire qui correspond à l'Irak d'aujourd'hui]. Assur viendra en Égypte et l'Égypte en Assur. L'Égypte servira [le Seigneur] avec Assur. Ce jour-là, Israël viendra en troisième avec l'Égypte et Assur, bénédiction au milieu de la terre, bénédiction que prononcera Yahvé Sabaot : « Béni mon peuple l'Égypte, et Assur l'œuvre de mes mains, et Israël mon héritage » (Is 19, 23-25).

Les pleurs de Jésus sur Jérusalem

« Lectio » de Luc 19, 41-44 ; 13, 34-35.

Le premier passage se trouve au chapitre 19 de Luc, et il s'agit d'une sorte d'intermède dramatique dans l'entrée solennelle, épique, de Jésus dans la ville de Jérusalem. Cette scène pleine d'enthousiasme et de battements de mains est soudain interrompue par un déluge de larmes : « Quand il fut proche, à la vue de la ville, il pleura sur elle, en disant : "Ah ! si en ce jour tu avais compris, toi aussi, le message de paix ! Mais non, il est demeuré caché à tes yeux. Oui, des jours viendront sur toi, où tes ennemis t'environneront de retranchements, t'investiront, te presseront de toute part. Ils t'écraseront sur le sol, toi et tes enfants au milieu de toi, et ils ne laisseront pas en toi pierre sur pierre, parce que tu n'as pas reconnu le temps où tu fus visitée" » (Lc 19, 41-44).

Le deuxième passage, toujours dans l'évangile de Luc, rapporte une parole prononcée par Jésus quand il était encore en route vers la ville : « Jérusalem, Jérusalem, toi qui tues les prophètes et lapides ceux qui te sont envoyés, combien de fois j'ai voulu rassembler tes enfants à la manière dont une poule rassemble sa couvée sous ses ailes… et vous n'avez pas voulu ! Voici que votre maison va vous être laissée. Oui, je vous le dis, vous ne me verrez plus, jusqu'à ce qu'arrive le jour où vous direz : Béni soit celui qui vient au nom du Seigneur ! » (Lc 13, 34-35.) Les deux textes sont étroitement liés. Dans tous deux on parle de Jérusalem, et la réalité qui est clairement exprimée dans l'un par les mots « le message de paix », l'est métaphoriquement dans l'autre : « combien de fois j'ai voulu rassembler tes enfants à la manière dont une poule rassemble sa couvée sous ses ailes. » Le cantique de Moïse avait déjà une image semblable : tel un aigle qui veille sur son nid, le Seigneur protège son peuple (voir Dt 32, 10 s.).

Nos deux passages sont également liés par une insistance négative dramatique : « le message de paix est demeuré caché à tes yeux », dit Jésus à Jérusalem ; « vous n'avez pas voulu vous laisser rassembler sous les ailes », affirme Jésus durant son pèlerinage vers la ville.

Et nous voyons aussi cette liaison dans la prophétie identique d'une ruine de la ville, exprimée plus fortement au chapitre 19 : les ennemis, les retranchements, l'écrasement de Jérusalem et de ses enfants, et il ne restera pas pierre sur pierre. Et, de manière plus mystérieuse au chapitre 13 : « Vous ne me verrez plus, jusqu'à ce qu'arrive le jour où vous direz : Béni soit celui qui vient au nom du Seigneur ! »

Enfin, les deux passages sont étroitement liés parce que le « vous ne me verrez plus jusqu'à ce qu'arrive le jour... » s'avère en partie situé au moment même où Jésus, au chapitre 19, pleure et que la foule s'écrie « Béni soit celui qui vient au nom du Seigneur ! » (Voir v. 38.)

Et l'on peut rappeler aussi d'autres pages du Nouveau Testament. En effet, la parole menaçante de Jésus sur Jérusalem revient au chapitre 21 de Luc, où nous lisons : « De ce que vous contemplez, viendront des jours où il ne restera pas pierre sur pierre : tout sera jeté bas [...] lorsque vous verrez Jérusalem investie par des armées, alors comprenez que sa dévastation est toute proche [...]. Jérusalem sera foulée aux pieds par des païens jusqu'à ce que soient accomplis les temps des païens » (Lc 21, 6.20.24). Nous savons que tout cela est de l'histoire, dramatique, et pas de la littérature.

La lamentation sur Jérusalem revient au chapitre 23, quand il monte au calvaire et que des femmes pleurent sur lui : « Filles de Jérusalem, ne pleurez pas sur moi ! pleurez plutôt sur vous-mêmes et sur vos enfants ! Car voici venir des jours où l'on dira : Heureuses les femmes stériles, les entrailles qui n'ont pas enfanté, et les seins qui n'ont pas nourri ! » (Lc 23, 28 s.)

On voit donc que la thématique de la ville en danger, du rapport entre la foi de la ville et la paix, du rapport entre le refus de la ville d'accepter la visite et sa dévastation, revient plusieurs fois dans l'Évangile. Et cette répétition montre l'importance attribuée par Jésus, par les évangélistes, par l'Église primitive, au jugement droit sur les faits sociaux et politiques, au lien entre ces faits et les attitudes religieuses et à la compréhension des conséquences, souvent dramatiques, d'une réponse manquée à l'appel de la paix pour la ville.

C'est précisément pour cela que nous nous sentons invités à réfléchir sur ces deux passages de Luc, afin d'en saisir le message pour nous aujourd'hui : qu'as-tu voulu dire, Seigneur, par ces paroles ?

« Si tu avais compris le message de paix. »

Méditons avant tout sur le geste de pleurer. Les pleurs de Jésus ne sont pas un geste habituel, quotidien ; pleurer n'est généralement pas l'attitude d'un adulte.

Une autre fois seulement, au chapitre 11 de l'évangile de Jean, on dit que Jésus a pleuré, au sujet de Lazare, son ami mort. Toutefois, dans le texte grec, le verbe n'est pas celui que nous trouvons chez Luc, mais signifie précisément « versa des larmes ».

Au chapitre 19 de Luc, Jésus « fond en larmes », en un torrent de larmes, comme Marie Madeleine sanglote lorsqu'elle se trouve face au tombeau vide, ou comme Pierre éclate en sanglots lorsqu'il réalise qu'il a renié trois fois le Seigneur.

Les pleurs de Jésus sont un geste prophétique, semblable au cri que les anciens prophètes lancèrent au temps de la première destruction de Jérusalem, au long silence d'Ézéchiel, aux larmes du voyant de l'Apocalypse.

Les pleurs de Jésus ne sont pas un acte lié simplement à sa

psychologie personnelle : ils ont une signification, ils manifestent un mystère de Dieu. Il s'agit d'un acte public, car il pleure sur la ville. Il faut ici bien comprendre ce que veut dire Jérusalem pour un juif : la cité sainte, la ville désirée depuis longtemps dans les pèlerinages, la ville placée sur une montagne, construite comme une cité solide et compacte, la ville où se retrouvent les réfugiés après tant de sacrifices.

Ici nous vient immédiatement à l'esprit le beau psaume 122 : « Quelle joie quand on m'a dit : Allons à la maison du Seigneur ! Enfin nos pieds s'arrêtent dans tes portes, Jérusalem ! [...] Là où montent les tribus, les tribus du Seigneur, pour louer le nom du Seigneur. »

Pour entrer dans l'esprit de Jésus, nous devons chercher à comprendre cet ensemble de traditions, de culture, d'histoire, de sentiments, de révélations, que signifie Jérusalem. Peut-être pouvons-nous l'interroger et lui demander : Pourquoi pleures-tu, Seigneur ? Pleures-tu seulement pour la ruine religieuse de la ville, sur les âmes qui se perdent, ou pleures-tu sur la cité comme telle, sur ce corps vivant, organisé, qui a une histoire, une destinée, un avenir, une espérance ? Pourquoi pleures-tu, Seigneur ? Pour les valeurs religieuses perdues ou aussi pour les valeurs humaines, qui font l'histoire, la gloire, le prestige et la mission de la ville ?

Je crois que Jésus, en bon juif, nous répondrait qu'il s'efforce de distinguer les deux choses parce qu'elles sont l'une dans l'autre ; il n'y a pas de corps sans âme, pas d'âme sans corps, il n'existe pas de salut spirituel seul, qui ne soit incarné dans une réalité historique, vécue, vivante. La destinée de l'individu est étroitement liée à la destinée du groupe.

Les pleurs de Jésus, qui voit la ruine prochaine de Jérusalem, concernent tout l'ensemble de valeurs qui trouve, naturellement, son sommet dans le Temple, mais comprend cependant une organisation civile, sociale, culturelle, politique, artistique tout entière. Et c'est si vrai que les commentateurs sont incertains sur l'interprétation de la parole parallèle à celle de Luc 19, à savoir Luc 13, 35 : « Voici que votre maison va vous être laissée [déserte]. » Certains estiment que la maison est le

Temple et ils se réfèrent à la vison d'Ézéchiel lorsqu'il contemple la gloire de Dieu quittant le Temple de Jérusalem (voir Ez 11, 22-25). Mais il est clair qu'une fois le Temple abandonné, la ville tombe : d'autres commentateurs disent donc que la maison est la ville dans son ensemble et non dans son seul aspect religieux, ou que, de toute façon, les deux réalités sont liées.

La paix de Jérusalem est connexe à la foi de Jérusalem et, dans la mentalité juive, paix veut dire bien-être, liberté par rapport à ses ennemis, sécurité, prospérité, amitié, paix avec Dieu, joie, chants dans le Temple, exultation, battements de tambours, processions, richesse des célébrations sacrées. Voilà la paix dans toutes ses dimensions : contempler le visage de Dieu, dans la terre des vivants, marcher en tête vers la maison de Dieu (voir Ps 42-43).

Jésus a vraiment désiré cette paix de la ville, et il pleure parce qu'elle ne peut lui être accordée car elle n'a pas reconnu le message de paix : « Ah ! si en ce jour tu avais compris, toi aussi, le message de paix ! » On suppose ici, bien entendu, un rapport entre l'accueil de la parole du Seigneur et la paix de la cité, comme l'exprime plus clairement l'autre passage : « combien de fois j'ai voulu rassembler tes enfants à la manière dont une poule rassemble sa couvée sous ses ailes » (Lc 13, 34). Il nous semble pouvoir envisager un projet messianique de Jésus, qui a aussi une valeur sociale et, à sa manière, politique ; certes pas pour renverser les autorités légitimes, constituées, ou se substituer à elles, mais pour susciter un rassemblement de peuples sous le signe de la douceur, de la non-violence, de l'amour mutuel, afin de réaliser une nouvelle façon de vivre ensemble, une manière nouvelle d'être ville.

Pour la Bible, le projet « messianique » a toujours une valeur sociopolitique et exprime ces attitudes nouvelles d'un peuple pour lequel la charrue et la faux remplacent l'épée, pour qui le petit enfant peut jouer avec la vipère, l'ours paître avec le bœuf, et le loup avec l'agneau (cf Is 2 ; 11, 6-8). C'est l'idéal concret, non utopique, d'une humanité pacifique, même s'il devient de fait, quand il n'est pas entendu, un idéal conflictuel avec l'ordre existant : « Mais non, le message de paix est demeuré caché à tes yeux. Oui, des jours viendront sur toi où tes ennemis t'investiront. »

La non-acceptation des Béatitudes de la paix et de la douceur conduit à la conséquence opposée : au refus de se laisser « rassembler » selon le grand dessein qui parcourt tout l'Ancien Testament, selon les attentions de Dieu pour son peuple.

Toutefois, Jésus n'abandonne pas cet idéal, il n'abandonne pas la ville, il y entre même pour y mourir. Il sait que, du témoignage de son amour refusé par la cité, il aboutira à la victoire, au prix de sa vie, même si le fruit de sa victoire ne sera pas accueilli par tous.

Quel rapport entre la foi et la paix ?

Il est une autre phrase de Jésus qui correspond à cette parole mystérieuse : « Si en ce jour, tu avais compris, toi aussi, le message de paix. » Nous la trouvons au verset 44 du chapitre 19 de Luc : « Tu n'as pas reconnu le temps où tu fus visitée. » Il s'agit de la visite de Dieu qui vient donner la bonne nouvelle, la nouvelle du salut, et il y a un lien étroit entre la visite de Dieu et le destin de la ville, entre le refus de cette visite et l'incapacité à faire la paix.

Quel est le *rapport entre la foi et la paix ?*

La réponse n'est pas facile. Le Nouveau Testament nous présente une Église primitive assez désenchantée quant à certaines valeurs du monde réel de ce temps-là : la *pax romana*, l'*equitas romana*, la culture gréco-romaine, la grande synthèse culturelle hellénistique. Ce n'est pas une attitude d'admiration inconditionnelle envers l'organisation civile et sociale.

En outre, le Nouveau Testament prend une certaine distance par rapport à certaines valeurs ambiguës, ou pseudo-valeurs : la masse, le prestige, le pouvoir. Ces valeurs sont soumises à la critique : « Malheur, lorsque tous les hommes diront du bien de vous » (Lc 6, 26) ; « Les rois des nations dominent sur elles

[…] et se font appeler bienfaiteurs. Mais pour vous il n'en va pas ainsi » (Lc 22, 25).

On voit même que sont soulignées les valeurs opposées : le petit troupeau est important (voir Lc 12, 32) ; le Royaume de Dieu appartient aux tout-petits (voir Lc 18, 16) ; le plus petit est le plus grand, celui qui s'humilie sera exalté, celui qui accepte l'injure vit l'Évangile davantage que celui qui se venge. Ces principes n'étaient évidemment pas compatibles avec la synthèse sociale et civile gréco-romaine, pour aussi élevée qu'elle fût.

Il y a donc, pour Jésus et le Nouveau Testament, une façon d'entrer dans la société du temps, qui ne plie pas le genou devant une quelconque forme de vie constituée, même si elle en respecte ce qui est juste. Ainsi Paul usera-t-il, par exemple, de ses droits de citoyen romain pour obtenir justice, reconnaissant donc les valeur de l'*equitas romana*.

Toutefois, à l'intérieur de tout le système social, le Nouveau Testament propose comme valeurs absolues et définitives la plénitude de Dieu, le trésor du ciel, la totalité du salut au-delà de tout conditionnement de mort ; valeurs ultimes, capables de donner du sens aux réalités avant-dernières qui constituent la vie et l'orgueil de la cité. Reconnaître la visite de Dieu n'équivaut pas à décolorer ou marginaliser ces réalités, mais bien à les mettre à leur juste place en contribuant à la paix et à l'itinéraire intégral et pacifique d'un peuple.

Conclusion.

La Parole de Dieu que nous avons entendue dans les deux passages de l'évangile de Luc nous propose donc de vivre les réalités politiques, économiques, culturelles, sociales, avec l'œil juste, éclairé par l'absoluité des valeurs ultimes, sans que ce regard obscurcisse ou occulte les voies de l'homme vers la paix. Et en même temps elle nous propose de reconnaître les voies de l'homme, sans que celles-ci nous entraînent à l'esclavage ou à l'idolâtrie, mais en restant libres, avec la certitude que les réalités ultimes donnent à toute chose sa juste valeur.

Tel est le don du Christ, qui ne nous a pas été donné en une intuition intellectuelle ; nous devons plutôt le garder vivant dans l'ascèse de la vie, dans la fidélité aux devoirs quotidiens, à la prière, à l'écoute de sa parole, dans la confrontation permanente avec les frères dans la foi. Alors cette vision complexe et unifiante, à laquelle l'Esprit-Saint nous appelle sans cesse, ne se dégrade pas, ne se déprécie pas, ne se paralyse pas comme, hélas ! cela advient trop souvent dans un spiritualisme désincarné ou dans des formes de messianisme politique qui conduisent à la désillusion. Elle demeure dans sa totalité, dans sa perfection, dans son intégrité, parce que le don de la paix est intégral et total.

Donne-nous, ô Seigneur, de connaître les voies de la paix, de connaître le temps de notre visite et de savoir que, si nous devons porter un peu cette paix et cette visite sur les sentiers de la Croix, nous deviendrons plus encore des ouvriers de paix, nous deviendrons une offrande de paix pour une humanité qui aujourd'hui plus qu'hier peut s'associer aux pleurs du Christ sur les innombrables catastrophes provoquées par l'esprit de division et de guerre.

Le leadership religieux
dans la société séculière
témoins de grande espérance
et de joie

Joie d'être à Jérusalem.

> Enfin nos pieds s'arrêtent dans tes portes, Jérusalem !
> Appelez la paix sur Jérusalem ;
> que soient paisibles ceux qui t'aiment !
> Advienne la paix dans tes murs :
> que soient paisibles tes palais !
> (Ps 122.)

En introduction, il me semble utile d'évoquer deux questions préliminaires.

Notre société séculière est-elle la pire de toutes celles qui se sont succédé dans l'histoire ? Par conséquent : notre tâche de leadership religieux est-elle plus difficile aujourd'hui que dans le passé ?

Ce que nous appelons leadership religieux est-il quelque chose de positif et de désirable ?

Je ne tenterai pas de répondre directement à la première et complexe question, parce qu'il n'est pas facile de porter un jugement sur notre société par rapport à celles d'autres temps. Je me contenterai de noter que, dans les évangiles, le jugement porté sur la société d'alors n'est certainement pas très positif. Dans Matthieu, par exemple, Jésus dit : « Engeance [ou "génération"]

incrédule et pervertie, jusques à quand ai-je à vous supporter ? »
(Mt 17, 17.) Cela indique que les difficultés actuelles ne sont
pas, dans l'absolu, les plus graves. On ne peut exclure qu'en
d'autres temps les choses aient été encore pires. Nos pères dans
la foi, les autorités religieuses qui nous ont précédés, ont vécu
des moments obscurs, durs, et les ont surmontés.

Quant à la deuxième question préliminaire, je noterai seulement que l'expression « leadership religieux », commune dans
le monde de langue anglaise, peut indiquer, en certaines
circonstances, quelque chose qui n'est pas totalement positif.
Certains préfèrent au mot leadership un terme plus religieux,
plus proche de « profession, ministère pastoral, service ». Être
un leader, en effet, peut évoquer un leadership politique,
économique, voire militaire, ou encore la nécessité d'un
programme de développement, mais en oubliant les valeurs
spécifiques de la communauté de foi. C'est en ce sens qu'il est
dit dans l'évangile de Luc : « Les rois des nations dominent sur
elles et ceux qui exercent le pouvoir sur elles se font appeler
bienfaiteurs » (aujourd'hui nous dirions grands leaders) « mais
pour vous, il n'en va pas ainsi. Au contraire, que le plus grand
parmi vous se comporte comme le plus petit, et celui qui
gouverne comme celui qui sert » (Lc 22, 25-26).

En conformité avec ces paroles, j'utilise donc le terme leader
pour indiquer un humble serviteur de la communauté des
fidèles.

Témoignage personnel.

Quels types de problèmes et de défis dois-je affronter chaque
jour dans ma qualité de leader religieux ? Et quelle attitude
jugé-je nécessaire pour les affronter ?

À mon avis, il y a principalement trois problèmes, que
je cataloguerai ainsi provisoirement : problèmes internes ;
problèmes externes ; problèmes ou questions transcendants.

Problèmes internes. Nous avons avant tout devant nous les
problèmes internes quotidiens spécifiques à notre religion et à

notre dénomination religieuse, typiques de nos communautés religieuses, selon la responsabilité que chacun a pour soi et pour son propre groupe.

Il y a, par exemple, les problèmes de personnel ; les questions relatives aux programmes et aux priorités, les questions relatives à l'administration et aux finances ; les problèmes créés par des tensions internes entre les différents groupes de notre dénomination ; les problèmes du développement (et la distinction entre le vrai et le faux développement), et ceux créés par la résistance au vrai développement.

La façon de résoudre ou de gérer ces problèmes ne me paraît pas si importante. Chacun est appelé à trouver sa manière selon l'inspiration de Dieu, le bon sens, la loi et la tradition. Ce qui compte pour moi est l'affirmation d'une règle générale, que je considérerai certainement valide pour moi, mais aussi, je le pense, pour d'autres autorités religieuses : vivre ses responsabilités tout en demeurant intérieurement libre et capable de prêter attention à des questions plus importantes. Ou encore, rester ouvert à des questions qui sont plus vastes que les problèmes internes de l'administration quotidienne d'une grande communauté reposant sur nos épaules.

Les problèmes externes sont ceux communs à tout le genre humain, les grandes questions de l'humanité. Parmi eux nous trouvons les problèmes de la guerre et de la paix, de la violence entre les personnes et les groupes, de la défense de la vie humaine, les problèmes de la maladie et de la faim, de l'immigration, les problèmes écologiques. En outre, tous les problèmes de l'ordre et des tensions entre groupes sociaux et ethniques (Blancs et Noirs, riches et pauvres, Nord et Sud). Et encore les problèmes de l'éthique publique, notamment ceux concernant le début et la fin de la vie, les problèmes bioéthiques, la tension entre la technologie et l'éthique, entre l'économie et l'éthique.

Une grande partie de notre vie et de notre temps, en tant que leaders religieux, est consacrée à réfléchir et à chercher à affronter les problèmes que j'ai appelés « externes ». Chaque jour nous sommes invités à parler ou à agir dans l'un ou l'autre de ces domaines. Quelle attitude dois-je assumer ? J'ai lu, dans une interview récente d'une importante autorité religieuse par un journal américain, une réponse qui me semble extrêmement simple et qu'il est possible d'appliquer à d'autres autorités religieuses. À la question posée par le journaliste : « Comment conseiller sur des questions qui vont de la pornographie à l'avortement, de l'immigration à la violence urbaine ? », l'interviewé répondait : « La plus grande partie des problèmes contemporains sont aussi anciens que la Bible. En tant qu'homme de foi, je cherche toujours à vérifier si je m'appuie et m'enracine à fond dans la révélation de Dieu livrée par l'Écriture sainte, pour autant que je puisse la comprendre. »

Et, face à des problèmes aussi nombreux et aussi graves, une attitude générale est particulièrement recommandée dans l'interview : donner un visage humain aux questions contemporaines. Elles sont nombreuses et en perpétuelle mutation : il est donc impossible d'avoir à l'avance la solution ou la parole juste pour toutes.

Mais ce qui est de première importance, c'est de considérer les problèmes en homme de foi, qui trouve dans la révélation divine les mots et le principe d'une action juste, et regarder ces problèmes avec un œil de compréhension et d'affection, pour imprimer un visage humain à des questions normalement abordées par des techniciens, des hommes politiques ou autres leaders séculiers. Les autorités religieuses devraient toujours viser à apporter dans le débat politique la dimension éthique, morale, humaine, et la dimension de la foi.

Cela exige un effort continu pour se réserver du temps pour la méditation, la lecture des Saintes Écritures, pour le silence et la prière personnelle. Une autorité religieuse ne peut en effet parler des défis contemporains que si sa parole naît d'une profonde expérience religieuse intérieure.

Les problèmes transcendants. Les principaux thèmes de notre religion sont : Dieu, le salut, la prière, l'adoration, la foi, l'espérance, le pardon, la vie après la mort, la justice, l'amour, etc.

La société sécularisée ne semble pas intéressée par ces

questions. Beaucoup demandent aux autorités religieuses une réponse sur des problèmes éthiques du deuxième type (externes), mais seuls ceux qui sont vraiment religieux se tournent vers nous pour avoir des réponses sur les thèmes transcendants.

Nous sommes ainsi placés face au dilemme suivant : faut-il parler de ces thèmes seulement au cercle restreint de nos fidèles ou aussi à la société séculière ? Naturellement, la situation est très différente dans les diverses parties du monde et les différentes religions.

Je ne veux pas imposer ma réponse, mais je suis fermement convaincu que les gens ont besoin d'être confrontés aux problèmes transcendants, parce que ceux-ci aussi appartiennent à l'essence des êtres humains en ce monde, même si certaines sociétés posent des restrictions à parler de ces choses en public. À mon avis, il est fondamental de se demander quelle est l'attitude intérieure d'une autorité religieuse face à ces questions.

Je souligne deux points à ce propos.

Il devrait être clair pour chacun que les thèmes transcendants constituent notre véritable et principale préoccupation.

Si nous devons nécessairement traiter les problèmes internes de notre religion, et si nous ne pouvons nous refuser de proposer une réponse aux problèmes externes de la société séculière, aux questions éthiques, nous pouvons faire tout cela seulement parce que nous sommes, d'abord et surtout, impliqués dans les questions transcendantes : Dieu, le salut, la prière, l'espérance, l'amour.

Nous sommes convaincus que ces questions sont les véritables thèmes vitaux pour l'humanité, et toute autre question, aussi importante qu'elle apparaisse, dépend en dernière analyse des thèmes transcendants.

Conclusion.

Pour conclure, je propose quatre attitudes que j'estime indispensables aujourd'hui pour un leader religieux.

En premier lieu, une profonde communication intérieure avec Dieu et un fort esprit de prière. Avec la croissance des responsabilités, il me semble que doit croître aussi le temps consacré à l'écoute orante et au silence.

En second lieu, une grande paix intérieure, comme la lettre de Paul aux Philippiens nous le recommande : « N'entretenez aucun souci ; mais en tout besoin recourez à l'oraison et à la prière, pénétrées d'actions de grâces, pour présenter vos requêtes à Dieu. Alors la paix de Dieu, qui surpasse toute intelligence, prendra sous sa garde vos cœurs et vos pensées » (4, 6-7).

En troisième lieu, la conviction d'être témoins d'une grande espérance pour notre temps. C'est un temps où ne cessent de grandir frustrations et désespoirs. Notre tâche doit être d'apporter l'espérance et la joie.

Enfin, il est très utile d'avoir un zeste de bonne humeur, une attitude sereine qui vient de l'espérance et de la foi. Nous sommes tous dans les mains de Dieu et nous sommes donc en de bonnes mains.

L'espoir de marcher ensemble
vers la plénitude de la paix

Pentecôte juive et Pentecôte chrétienne.

La fête chrétienne de la Pentecôte trouve son origine, on le sait, dans la fête hébraïque de *Shavu'ot*, qui se célébrait sept semaines après la Pâque. Une fête très ancienne, liée à l'époque de la moisson, de la récolte, qui, dans la tradition talmudique, devint le jour de la révélation sur le Sinaï. Ce n'était pas une fête aussi riche de signes symboliques que la Pâque ; cependant, les juifs avaient pour habitude de décorer ce jour-là en vert la Synagogue et la maison, et peut-être la Torah elle-même était-elle recouverte de cette couleur qui rappelle l'arbre de la vie.

Il est intéressant de noter que l'usage d'orner les maisons avec des rameaux verdoyants pour la fête de Pentecôte s'est conservée jusqu'à aujourd'hui, et l'Église orientale a maintenu cette habitude, en soulignant que le lieu où, le jour de la Pentecôte juive, Marie et les disciples étaient réunis et reçurent l'Esprit-Saint, était orné de rameaux verts.

La plénitude de l'Alliance.

Prenons alors, à la lumière de la Pentecôte, deux lectures bibliques qui nous invitent à accueillir l'Esprit, à accueillir la Jérusalem qui vient de Dieu. Partons d'une page d'Isaïe (11,

1-10), grand poème messianique et prophétie des derniers temps. Nous pouvons la diviser facilement en deux parties : la première moitié du passage est caractérisée par des images « végétales » ; la deuxième par des symboles tirés du monde animal, alors que le dernier verset, le 10, constitue une conclusion et en même temps un début du cantique suivant.

« Un rejeton sortira » : Isaïe commence en introduisant quelques images du règne végétal : le rejeton, le surgeon, la souche, les racines. On se trouve devant un tronc coupé, un arbre apparemment abattu et mort, mais qui peut renaître de la souche de Jessé, racine même de David. L'arbre peut renaître parce qu'il y a une sève pérenne, la sève de la promesse divine, de l'Alliance qui fait pointer le rejeton. Un rejeton qui se dresse comme le centre des quatre points cardinaux ou des quatre vents qui se concentrent et se posent sur lui.

Les quatre vents sont le symbole de l'Esprit du Dieu Un et multiple, qui a ordonné l'univers au temps de la création et animé les grands chefs d'Israël. L'Esprit divin, principe de vie et de salut, est désigné par quatre coups de pinceau : esprit de *sagesse* et d'intelligence, qui illumine l'esprit ; esprit de *conseil* et de force, qui éclaire la capacité pratique, concrètement la capacité de gouvernement du nouveau roi mystérieux ; esprit de *connaissance* et de *crainte du Seigneur*, c'est-à-dire de profonde religiosité et non de connaissance purement théorique, mais bien de capacité de tout l'être à se laisser pénétrer par l'intime compréhension de ce qu'est Dieu.

De la plénitude des caractéristiques de l'Esprit de Dieu, rappelées ici, naît la capacité de bien administrer la justice, de défendre les pauvres et les opprimés contre les puissants, d'instaurer la paix.

La deuxième partie est une description concrète de la paix, issue de l'action de ceux qui sont envahis par l'Esprit de Dieu. Elle se caractérise par des images tirées du monde animal, et l'on y trouve douze noms d'animaux : loup et agneau, panthère et chevreau, veau et lionceau, vache et ourse, lion et bœuf, aspic et vipère.

Les dix premiers, présentés deux par deux, soulignent la

coexistence d'animaux sauvages et domestiques ; ces couples incompatibles visent à indiquer la paix, fruit de l'Esprit, qui crée un nouveau paradis, où se reconstruit l'harmonie entre les hommes et la nature, entre l'homme et les animaux (le nourrisson ne craint pas de jouer près des aspics et des vipères).

Au centre de cette harmonie se tient la montagne sainte où Dieu est présent et, à côté de l'image de la montagne, il y a celle de la mer : la connaissance du Seigneur remplira toute la terre comme l'eau de la mer. Cette connaissance, cette science de Dieu, que l'homme avait prétendu posséder au commencement, lui est accordée maintenant en tant que don de la plénitude de l'Esprit.

Sous ces images, nous contemplons Jésus sur la Croix, qui a déjà réalisé en lui, par la force de l'Esprit, l'unité, la paix, l'harmonie, la concorde : Jésus qui, de la Croix, a répandu sur nous l'Esprit d'amour afin que nous puissions le suivre et nous conformer à sa vie.

« La tâche de l'Esprit-Saint », disait Irénée de Lyon, un des premiers Pères de l'Église, « est de continuer à rendre présent en nous Jésus-Christ dans sa nouveauté, et à maintenir l'Église jeune et fraîche ». Combien nous avons besoin de l'Esprit-Saint qui rend présent en nous Jésus-Christ dans sa nouveauté ! Esprit de sagesse, d'intelligence, de conseil, de force, de connaissance et d'amour du Seigneur. Esprit qui nous permet de ne pas nous disperser face aux antinomies, aux problèmes irrésolus de la vie. Comment pourrions-nous jamais mettre ensemble loups et agneaux, panthères et chevreaux ?

Cela semble une tâche irréalisable et c'est celle de surmonter la conflictualité humaine qui se représente sans cesse, soit entre les personnes ou les institutions, soit entre les choses.

L'Esprit-Saint nous donne l'espérance de mettre ensemble des choses opposées, de résoudre des problèmes apparemment insolubles, de ne pas désespérer de pouvoir surmonter les antinomies historiques, culturelles, qui nous divisent ; à travers son don, en effet, naît une harmonie nouvelle, inattendue, jamais expérimentée, et que nous demandons avec humilité et confiance.

Le deuxième passage (Ap 21, 1-8) nous indique le but vers lequel nous marchons : le monde nouveau, où la mer, symbole du mal, du chaos et du néant, a été définitivement asséchée. Au centre des cieux nouveaux et de la nouvelle terre il y a la Jérusalem nouvelle, que nous ne bâtissons pas nous-mêmes, mais qui vient de Dieu, et qui est resplendissante, décrite comme l'épouse aimée, la résidence de Dieu avec les hommes. Par elle le Seigneur est vraiment concitoyen de l'humanité et nous sommes à lui : « Ils seront son peuple et Il sera Dieu-avec-eux. » C'est la formule de l'Alliance portée à sa plénitude, d'une alliance finalement réalisée, qui est reconfirmée encore par ces mots : « Je serai son Dieu et lui sera mon fils » (v. 7).

Cette alliance implique que Dieu, reprenant les paroles déjà dites à David, partage avec tous la filiation divine en Jésus. Mais il en est qui n'acceptent pas ce don, qui n'accueillent pas le dessein d'amour du Seigneur, qui refusent de suivre Jésus, le Fils, et de se conformer à sa façon de vivre en donnant sa vie sur la Croix. C'est une parole qui nous interpelle, nous réprimande, nous éperonne et nous stimule.

Donne-nous, ô Dieu, d'accueillir la Jérusalem céleste qui vient de toi. Fais que, priant ensemble pour la paix de la Jérusalem terrestre, il nous soit donné de distinguer la cité sainte qui descend du ciel et par laquelle Dieu est le Dieu-avec-nous.

Le message des deux pages bibliques est très important parce qu'il nous inspire l'espérance de venir à bout des difficultés que nous rencontrons et de jouir de la joie pure du Dieu-avec-nous. C'est un message d'espérance pour tous ceux qui veulent marcher vers la plénitude de la paix, de l'harmonie, de la concorde entre les peuples, pour nous qui attendons avec anxiété la révélation de la Jérusalem qui descend du ciel.

« Nous sommes fils de Dieu », dit Paul dans sa lettre aux Romains, parce que nous sommes « animés par l'Esprit de Dieu » et si nous nous renouvelons continuellement dans l'Esprit (voir Rm 8, 14) ; quand cela arrive, en chacun de nous et dans la communauté chrétienne la nouvelle création de l'Apocalypse fait irruption et des signes d'espérance sont placés dès maintenant.

Je conclus par une prière du grand Père de l'Église d'Orient, Siméon le Nouveau Théologien, qui s'adressait ainsi à l'Esprit-Saint :

> Viens, vraie lumière,
> viens, vie éternelle,
> viens, amour indicible,
> viens, mystère caché,
> viens, artisan de l'unité et de l'harmonie,
> viens, espérance que tu veux nous sauver tous,
> viens, source de la paix et de la consolation,
> viens, toi qui, toujours immuable, ne cesses de te mouvoir
> pour venir vers nous.
> Viens, ô Esprit-Saint.

La foi face au monde
d'aujourd'hui

La liberté de l'homme.

L'homme s'est libéré des conditionnements de la faim, de la soif, de la survie, des distances, des rythmes naturels. Jamais autant qu'aujourd'hui l'homme n'a eu la possibilité de dominer, au moins dans notre monde occidental, et jamais comme aujourd'hui l'homme n'a eu la possibilité d'accéder à la conscience de sa propre responsabilité, à la conscience que son avenir dépend de lui.

Il est plus libre de choisir le bien ou le mal. C'est là un fait sans doute irrévocable, qui marquera les générations futures. Face à ces réalités, je ne sais comment répondre à la question : quels événements posent à ma foi les problèmes et les interrogations les plus graves ? Car la foi ne doit pas traiter de l'un ou de l'autre problème, ni se sentir embarrassée face à tel ou tel. La foi fait face à des décisions qui impliquent totalement la personne dans le bien ou dans le mal. Voilà le problème fondamental : qu'est-ce que je vais faire de ma liberté, comment vais-je la gérer, à quelles valeurs vais-je me référer pour vivre ce défi ?

Plus grand est le défi, plus grand le mal que l'on peut faire : d'où les abysses de mal de notre temps et aussi les immenses possibilités de bien.

Finalement, tout renvoie au problème de la liberté humaine et du libre choix, un problème plus que jamais au premier plan, plus que jamais inéluctable. Sur ce grave problème de l'homme contemporain, je suis en recherche, je m'interroge sur les valeurs qui peuvent donner sens à ma liberté.

Personnellement, je me retrouve tout à fait dans le passage biblique du Deutéronome, chapitre 30 : il exprime la responsabilité que Dieu, en le créant, a mise entre les mains de l'homme. Un dialogue existe : la liberté est bien là, mais aussi le dialogue avec celui qui met la liberté entre les mains de l'homme. Ainsi le tableau me semble-t-il complet et je m'y retrouve parfaitement. Il peut se trouver des souffrances qui, en un certain sens, mettent en doute la toute-puissance de Dieu ; et nous trouvons du reste déjà cette idée dans l'Écriture, quand Paul dit aux Philippiens que le Christ s'est dépouillé de son pouvoir, de ses privilèges, qu'il s'est abaissé.

Il faut pénétrer dans ce mystère, non pour donner des réponses rationnelles au problème de la souffrance, mais pour pouvoir l'affronter avec une certaine espérance de ne pas en sortir désespérés. Il est fondamental pour un chrétien d'entrer avant tout dans la souffrance de Dieu, dans sa défaite, dans sa manière de se laisser vaincre par cette liberté que lui-même a établie.

C'est un discours qui engage, qui ne peut laisser indifférent. Du reste, le code significatif du chrétien – je sais qu'il est difficile à saisir pour les autres – est la Croix, le Crucifié ; la défaite de Dieu, le signe du Dieu vaincu qui, afin de sauver la liberté, accepte de s'impliquer et de prendre sur lui les conséquences du mauvais usage de la liberté, pour permettre d'en saisir jusqu'au plus profond ce qu'il comporte de mal.

C'est le mystère d'un Dieu qui s'engage tellement dans la liberté humaine qu'il se laisse quasi submerger par le mal, pour aider à en sortir.

On voit ici à quel point Dieu respecte la personne et la liberté, et on peut saisir ici quelque chose du drame de l'histoire, un drame qui atteint à l'absurde, parce que la liberté, en jouant contre elle-même, arrive à l'absurdité.

Je suis toujours très attiré par le mystère de la Parole, de la façon dont Dieu communique par l'Écriture, les prophètes ; or, la Parole est quelque chose qui parle à la liberté.

La Parole renvoie au-delà d'elle-même. Elle offre cependant un premier contact avec la liberté, qui ne lie pas, n'écrase pas, mais propose, aiguillonne, stimule, et laisse parfaitement libres. C'est la dynamique de toute l'Écriture. C'est une Parole qui raconte ses propres défaites ; la Bible est pleine de récits de refus de la Parole, de la Parole repoussée. Cette dynamique de liberté me semble vraiment intrinsèque à tout le mystère de ce que nous ne pouvons nommer que par allusion (à cet égard la tradition juive est imbattable), et nous pouvons saisir que ce mystère est orienté : il vient à la rencontre de la liberté pour la respecter, l'accepter telle qu'elle est et la pousser à choisir le bien, tout en sachant qu'elle peut choisir son contraire, sa destruction, en étouffant le souffle de l'homme sur la terre ; la technologie nous conduit aujourd'hui à cette possibilité.

La foi en l'au-delà.

Les dernières décennies de notre siècle ont été marquées, surtout en Europe, par la réflexion incessante, douloureuse, jamais épuisée, sur le drame de la Shoah, et nous n'en sommes pas encore sortis. Veuille le ciel que cette réflexion serve au moins à éliminer totalement dans l'avenir toute chose de ce genre ! Si j'en viens plus directement au thème de la foi, y compris dans la tradition juive classique, je lis une ouverture à l'au-delà, une confiance totale en Dieu : « Mon Dieu, en toi j'ai mon abri » (Ps 7, 2). Tout est là ! Et Dieu sait s'il y a un au-delà ou un en deçà. Je crois que ce qu'il y a de caractéristique et de formidable dans la foi juive, c'est cette manière de se confier totalement : la racine hébraïque du mot « foi » signifie « s'appuyer », « s'appuyer sur quelqu'un ».

Comme celui qui s'accroche à un rocher pour ne pas être emporté par la tempête, par le fleuve en crue. S'appuyer sur Dieu, sur lui seul, est fondamental dans la foi. Et cette foi est certainement difficile, tant il est vrai que l'on trouve cette parole mystérieuse de Jésus : « Le Fils de l'homme, quand il viendra, trouvera-t-il la foi sur la terre ? » (Lc 18, 8.) Jésus lui-même se demande si cette foi résistera aux absurdités que la liberté humaine fera naître dans le monde. Ce n'est pas une question rhétorique. Jésus se la pose parce qu'il sait que la foi est perpétuellement en danger. Quand on croit, on ne s'appuie pas sur telle ou telle considération ; on s'appuie sur le Dieu vivant. Lui sait. La foi de Job reconnaît que, finalement, c'est à Dieu de juger, à lui qui sait ; et cela le sauve. Il ne s'agit donc pas de s'appuyer sur telle ou telle considération, ni sur une autre vie en tant que telle, quasi comme une sorte de compensation.

Dieu ne peut qu'offrir la vie et il l'offre en plénitude ; il sait où, quand et comment. C'est l'appui sur Dieu qui ouvre néces-sairement un horizon de vie, lequel ne peut jamais manquer.

Il ne s'agit donc pas d'un calcul autour d'une offre inscrite sur un tableau : c'est Dieu lui-même qui s'offre comme vie de l'homme, et la Bible est unanime pour affirmer que Dieu est la vie de l'homme. Je pense aux mots de Jésus : « Je suis la vie » (Jn 11, 25 ; 14, 6).

Je voudrais ajouter que dire ces choses n'a guère de valeur tant que l'on n'a pas été, comme Job, touché dans sa chair. Disserter à sa table sur les malheurs de l'humanité est une chose, les vivre en est une autre. Quand une personne dit : « Je ne sais pas pourquoi je marche, mais je sais que je marche », cela signifie qu'elle se confie, qu'elle a la foi. Il n'y a pas de raisonnement sur lequel appuyer ma marche ; je continue parce que Quelqu'un m'est proche, en particulier quand je suis dans le noir, dans la tempête, dans l'aridité spirituelle ou mentale.

Ainsi la foi acquiert-elle de la clarté et elle n'est plus entourée de satellites qui en voilent la force et la netteté.

Le rapport entre foi et progrès.

Je me laisse inspirer par cette parole évangélique : « On ne peut servir Dieu et Mammon » (voir Mt 6, 24 ; Lc 16, 13). Il faut voir quel patron on sert. Dans cette lumière, nous avons certainement tous de l'estime pour le progrès économique, avec ses conséquences bénéfiques (il faudrait beaucoup d'efforts pour revenir en arrière) ; toutefois, on ne peut nier que si ce progrès devient l'unique régulateur de la vie humaine, alors c'est une idole, un patron que l'on sert. D'où les conséquences négatives, les compétitions, les enrichissements, les pots-de-vin, les conflits, les guerres, les populations que l'on affame. Il serait bon de nous demander comment, avec tant de progrès, il y a tant de faim et tant d'injustice, un Nord et un Sud aussi divisés, des riches toujours plus riches et des pauvres toujours plus pauvres. Comment la façon dont les hommes poursuivent le progrès ne réussit pas à le répandre de manière égale pour tous. Quand le progrès économique est un patron à servir, les conséquences sont dévastatrices, et c'est pourquoi il faut choisir. Si l'on sert la dignité de l'homme, une dignité à sauver à tout prix, avec le primat du progrès moral, spirituel, des valeurs, le progrès économique a sa valeur incontestable. Personnellement, j'estime que la foi est très importante pour le progrès, parce qu'elle donne ce supplément d'âme sans lequel le progrès lui-même s'enlise.

Les guerres de religion.

Il est assez surprenant que nous nous interrogions encore sur les fondamentalismes, sur les inimitiés et les guerres qu'ils peuvent provoquer ; nous étions convaincus que ce stade avait été dépassé. La première constatation est que l'humanité a encore un long chemin à parcourir.

Je ne parlerai pas de bonnes et de mauvaises fois, mais de foi ; en la définissant au sens large, elle est cette consécration de l'esprit humain, de la personne, à une valeur immensément, infiniment plus grande qu'elle, une valeur qui la transcende, une valeur à laquelle elle se consacre totalement et à laquelle elle se confie. Se confier, se projeter dans l'au-delà est commun aux grandes religions, et une analyse phénoménologique de tout le phénomène religieux montre sa liaison avec l'idée de bonté, de miséricorde, avec l'idée de compassion, donc avec ce qui est contraire à la guerre et au conflit. La foi, examinée dans toutes ses formes historiques authentiques, conduit à la compréhension, à la compassion, à l'accueil de l'autre, à la solidarité. La religion, en revanche, est l'expression historico-culturelle, doctrinale, disciplinaire, sociale de fois ou de la foi, et cette expression peut être influencée par des éléments ethniques, éléments qui touchent ce qu'a de spécifique tel groupe social, ses privilèges et ses défenses.

Quand les religions se laissent prendre par l'attachement à des valeurs historiques, en oubliant les réalités transcendantes qu'il y a dessous, elles peuvent devenir elles aussi des sources de conflits. Tous ceux qui connaissent ces conflits savent qu'il ne s'agit pas de guerres de religion, mais bien de guerres ethniques sur fond social ou nationaliste dans lequel les religions jouent un rôle important. Il faut l'admettre, on ne peut nier l'évidence. Et cela advient précisément quand l'élément religieux se plie à ceux d'une ethnie, à des privilèges, des positions à défendre, fussent-elles légitimes, et s'allie donc aux divers nationalismes. Il faut distinguer ces éléments.

Il me semble que dans le christianisme cela s'est fait plus rapidement – mais c'est toujours trop long, un millier d'années ! –, en postulant une distinction entre la réalité de foi et d'Église et la réalité politique ; dans l'Antiquité, pourtant, les deux choses n'en faisaient qu'une, et la société politique, pour se défendre, avançait des motifs religieux. La mise en œuvre par les chrétiens du « Rendez à César ce qui est à César et à Dieu ce qui est à Dieu » (Mt 22, 21) est en tout cas le fruit d'un effort très lent. Nous nous apercevons même qu'un certain lien n'est pas encore du tout tranché et nous devons rester attentifs à ne pas juger de trop haut telle ou telle situation.

Islam et fondamentalisme.

Nous nous trouvons sans cesse confrontés à des projections dramatiques que j'estime délétères, car elles conduisent l'opinion publique occidentale à confondre l'islam avec le fondamentalisme, sinon carrément avec le terrorisme. C'est une très grave erreur, qui enflamme les esprits et crée des formes de rejet absolument malsaines.

S'il existe en revanche des secteurs, des zones et des personnes qui se laissent prendre par la furie du terrorisme, il faut les isoler, et non les « élargir » en les réunissant dans un jugement global. C'est un piège diabolique et, si nous y tombons, nous alimentons véritablement l'extrémisme. Il faudrait faire comprendre qu'il existe dans toutes les traditions religieuses, en particulier dans l'islam, un fondement de relations humaines authentiques, pleines de compassion, de miséricorde, tolérantes, capables d'entrer en dialogue avec nos réalités et nos traditions.

Nous devons toujours nous reporter à la vérité de fond – qui est capable de rassembler les hommes – et ne pas confondre une aberration isolée avec une vérité.

Foi religieuse et vérité.

La vérité, telle que je l'entends, est une ouverture sur un mystère infiniment plus grand que nous, c'est une intuition, un balbutiement. Or, le mystère de l'infiniment Autre est une chose à laquelle la bonne volonté de chacun a accès, mais sous des formes diverses et des noms différents, et c'est à partir de là qu'il est possible de dialoguer, confiants que l'autre aussi ne se contente pas des choses qu'il a devant lui. Je vois ici la possibilité et l'encouragement à nous parler.

Par ailleurs, l'importance de la valeur de la tolérance me trouve consentant, mais je ne voudrais pas que cela donne lieu à un monde trop gris, dans lequel on trouve l'incommunicabilité. Ce qui est bon, c'est qu'on se parle et que, se parlant, chacun cherche à apporter quelque chose de ses trésors, de ce qu'il croit bon et juste. C'est l'amour qui pousse à communiquer ce que l'on porte, à le communiquer librement et, surtout, à communiquer la confiance en un Mystère, en quelque « innommé », en cet au-delà qui remplit ma vie et qui, j'en suis sûr, a aussi quelque chose à voir avec la vie de l'autre. Sur ce fondement, le dialogue œcuménique est possible, de même que le dialogue interreligieux et le dialogue avec un non-croyant en recherche. Il existe à Milan une initiative qui se répète chaque année depuis 1989, la « Chaire des non-croyants », où sont invités à parler croyants et non-croyants, pour qu'ils expriment à haute voix les motifs de leur croire ou de leur non-croire. La « Chaire » veut être un exercice de l'esprit, parce que l'important n'est pas tant la distinction entre croyants et non-croyants, mais entre pensants et non-pensants. Quand on pense, on dialogue, et on dialogue sur quelque chose qu'on a dans le cœur : c'est là une grande valeur de croissance de civilisation, de progrès humain et social. Le dialogue sur les valeurs, le dialogue sur la foi, fait partie du progrès de l'humanité et crée une dialectique utile, nécessaire. Le monde serait bien triste si chacun raisonnait avec une calculatrice et disait : « Là, c'est ton secteur et ici le mien. »

Immigration et tolérance.

Je suis très préoccupé : nous nous trouvons face à un défi destiné à croître, et qui nous occupera pendant les cinquante prochaines années au moins. Tout dépend de la façon dont nous l'affrontons aujourd'hui, et je crois que l'objectivité est importante, qu'il faut dominer les sentiments, ne pas se laisser entraîner par telle ou telle péripétie pour créer une situation de peur générale, des épouvantails qui suscitent des réactions de défense et de méfiance. Naturellement, le problème implique des niveaux techniques et politiques dans lesquels je ne veux pas entrer, mais j'en ai parlé pendant tant d'années en conjurant que l'on établisse des règles claires, qu'il y ait une politique englobant tous les aspects de la question, de la première arrivée à l'installation, à l'intégration, à la famille, en regardant l'avenir.

De notre côté, nous nous en occupons surtout en tant que communauté chrétienne pour éduquer à l'attention vis-à-vis de l'autre, ainsi qu'au respect des règles du pays dans lequel on vit, deux choses essentielles. Il est important que l'on respecte les règles du pays, et la coutume civile générale, mais il faut aider les personnes et les mettre en condition de le faire. Si nous prétendons résoudre ce problème seulement par des mesures tampons ou avec des émotions et des sentiments négatifs, nous nous trompons gravement.

Humanisme laïque et humanisme religieux.

Je suis content lorsque je puis communiquer avec des personnes qui, vivant à fond un humanisme laïque, ont le désir et la capacité de dialoguer.

Je me demande pourquoi il y a tant de difficultés, et peut-être faut-il prendre en compte l'histoire. Je relisais la biographie d'un de mes prédécesseurs, le cardinal Ferreri, et il est impressionnant de voir avec quel mépris la culture catholique était considérée par la culture laïque, à quelles formes de dénigrement, d'accusations d'obscurantisme on en arrivait. Il y a eu malheureusement en Italie une longue histoire d'oppositions profondes qui ont laissé bien des méfiances. On ne peut nier que la culture laïque tende toujours à regarder un peu de haut, et à considérer la culture catholique comme une culture de sacristie, de séminaire. Tant que ces méfiances ne seront pas surmontées, je crains que l'on ne puisse faire grand-chose. Toutefois, je suis convaincu que beaucoup d'initiatives doivent être poursuivies et que nous sommes aujourd'hui beaucoup plus avancés qu'il y a cinquante ou cent ans. Certes, il faut de la patience, du temps et de l'effort.

À ce propos, j'estime que la formation biblique ne peut qu'ouvrir ; alors qu'au contraire la culture italienne s'est beaucoup éloignée de la Bible. Si nous nous reportons à la culture biblique, nous avons alors une base vraiment importante pour parler, dialoguer, et nous nous retrouvons sur un fonds commun, dépassant les barrières inutiles et le regard de mépris réciproque. Il faut reconnaître que la tradition biblique est vraiment notre racine, notre patrie.

Jérusalem, symbole d'unité.

L'avenir de l'humanité est dans l'avenir de la liberté de l'homme, comme Dieu l'a voulu. Il est aussi dans l'avenir des annonces bibliques qui parlent de Jérusalem comme du lieu vers lequel tous les peuples peuvent confluer, et de l'image de la Jérusalem céleste qui garde ses portes ouvertes jour et nuit, dans laquelle on peut toujours entrer. Cela fait partie des gènes de l'humanité telle que Dieu l'a voulue.

Cette liberté est pour l'unité de tous les peuples, et pour que tous soient un seul peuple : telle est la grande loi de l'histoire. On peut s'y opposer de façon absurde, on peut en quelque manière la bloquer, mais la loi est la plus forte. Je participe donc de la confiance de Dieu et de la liberté de l'homme, sachant qu'elle est la liberté de l'homme à devoir agir.

L'unité du genre humain, cette puissance au-dessus des partis, est rendue toujours plus urgente par la possibilité infinie donnée à l'homme de faire ce qu'il veut. Il faut donc une référence responsable, il faut la capacité de tous les états, de toutes les nations, à s'unir pour le bien de l'humanité. Nous ne pouvons savoir si l'humanité le reconnaîtra ou non, mais il y a toutes les prémisses pour que cela arrive. Le chemin des hommes conduit inéluctablement à cela et l'image des prophètes nous renvoie à cette vision comme à une vision d'espérance.

Jérusalem est le symbole de toutes les attentes et des espoirs humains, le lieu où, de quelque manière, les souffrances humaines se concentrent, mais où toutes les espérances se rallument. Si nous regardons Jérusalem, nous regardons dans la bonne direction.

Travailler ensemble
pour la justice et pour la paix

La situation d'aujourd'hui dans le monde.

Il me plaît de commencer en invoquant Martin Buber, qui, avec beaucoup d'autres penseurs éminents du siècle passé – je pense à Franz Rosenzweig, Hermann Cohen, Leo Baeck et Jacques Maritain –, chercha constamment à concilier l'instance critique de la philosophie de la science avec l'exigence personnaliste de la foi. Alors que les grandes écoles philosophiques de Berlin et de Vienne (et, plus tard, les écoles américaines) s'engageaient, avec Neurath et Popper, à fonder une philosophie scientifique qui laissait de côté les questions métaphysiques, Buber ne voulut jamais renoncer à l'espérance, qui trouve dans la foi son fondement ultime et dans l'histoire un défi perpétuel à la liberté et à la responsabilité humaines. Au troisième millénaire, l'histoire nous interpelle aussi : pour nous résonne aujourd'hui l'impératif *Zachor* !, « souviens-toi ! » n'oublie pas l'homme, ton frère ; *Shema* !, « écoute » son cri de douleur qui traverse les siècles. Les fils de la mémoire seront les Pères généreux d'un avenir de paix.

L'épouvantable tragédie de la Seconde Guerre mondiale et, en elle, l'abysse de mal de la Shoah, a hélas ! démontré encore une fois, et dans une mesure inconnue jusqu'alors, combien le chemin de l'homme dans l'histoire est fragile, et de quelles horreurs nous pouvons être responsables ou complices ; ainsi la question éthique sur le mal est-elle revenue avec force dans les consciences des individus et des peuples.

Les exterminations de masse du XXe siècle, du génocide des Arméniens au « nettoyage ethnique » en Europe et aux massacres récents en Afrique centrale, sont toutes devant nous et nous concernent. On peut même dire que la mesure de sa compassion et de sa solidarité devient de plus en plus la marque de la maturité d'une personne, et met à l'épreuve sa capacité à s'opposer au mal par le bien, jusqu'au don total de soi – comme le firent Martin Luther King, Gandhi ou mère Teresa. Nous sommes invités aussi à faire mémoire d'autres humbles héros, martyrs de la foi, de la liberté et de l'amour : parmi eux, Dietrich Bonhoeffer, Bernhard Lichtenberg, Janusz Korczack. Comme eux, beaucoup d'autres hommes et femmes ont préféré donner leur vie pour autrui, pour les persécutés, les faibles, les enfants juifs orphelins, les déportés des camps d'extermination. C'est une foule immense et silencieuse, qui nous propose un exemple vivant de la façon dont il est possible d'opposer le bien au mal, et nous aide à éviter que la souffrance passée et présente soit oubliée, repoussée, niée ou banalisée.

Plus de cinquante années après la Shoah, il y a dans le monde de vastes zones de misère et de pauvreté, morale et matérielle, tant en Orient qu'en Occident, au nord et au sud de la planète : cette situation s'est aggravée par l'exploitation de la misère, par des systèmes de commerces criminels de drogue, d'armes, de prostitution, unis à l'exploitation insensée des ressources naturelles. On a l'impression que la doctrine du pragmatisme économique envisage naïvement de se présenter comme une solution générale aux problèmes de l'humanité, pourvu qu'ensuite on ne risque pas de retomber dans les erreurs des générations précédentes. Les programmes d'un marché mondial risquent d'échouer s'ils ne sont pas soutenus par un engagement adéquat, civique, social, éducatif, et par une tension éthique commune.

La question cruciale et la réponse jusqu'à ce jour.

Dans ce panorama mondial, quelle pourrait être la contribution des chrétiens et des Églises, la contribution des juifs, des musulmans et de tous les hommes et femmes de foi ?

Le mouvement œcuménique, avec ses protagonistes : John Mott, Nathan Söderblom, Athênagoras, Jean XXIII, le cardinal Augustin Bea et beaucoup d'autres, représente une réponse des chrétiens, large et méditée, fruit d'un siècle de mouvement spirituel et pratique. Ce mouvement est né de l'expérience missionnaire, notamment en Asie, et du « mouvement d'Oxford » qui visait de façon particulière les chrétiens d'Orient et la Russie. Aujourd'hui, une sève nouvelle d'une extraordinaire vigueur peut sans doute venir à l'œcuménisme du renouveau spirituel qui se manifeste dans certains mouvements.

Du côté juif, une réponse au nouveau climat de dialogue et de collaboration ne s'est certes pas fait attendre, préparée par des personnalités courageuses, capables de franchir les barrières de la méfiance, barrières élevées durant deux millénaires d'enseignement du mépris, de condamnation et de persécution.

Après la catastrophe qui bouleversa l'Europe, alors qu'on s'interrogeait sur les responsabilités morales et civiles d'événements aussi terribles, il y eut des reconnaissances immédiates d'erreurs et de péchés qui avaient rendu possibles les atrocités et le mal d'Auschwitz. La première Assemblée du Conseil œcuménique des Églises, réunie à Amsterdam en 1948, publia un document dans lequel les Églises confessaient « en toute humilité qu'elles avaient trop souvent négligé de manifester l'amour chrétien envers le prochain juif, et même la simple justice sociale. Nous avons négligé de combattre de toutes nos forces le désordre humain séculaire représenté par l'antisémitisme [...]. Nous demandons à toutes les Églises ici représentées de dénoncer l'antisémitisme, quelles qu'en soient les origines, comme une attitude absolument inconciliable avec la profession et la pratique de la foi chrétienne [...]. L'antisémitisme est un péché contre Dieu et contre l'homme. »

Trois semaines auparavant, le Comité international judéo-chrétien, qui fut à l'origine de l'institution de l'International Council of Christians and Jews (ICCJ), avait convoqué à Seelisberg, en Suisse, une conférence internationale qui adressa aux Églises un « Appel » en dix points, d'une importance fondamentale pour le dialogue.

Depuis lors, cinquante années ont passé, et nous pouvons reconnaître que les « Dix points de Seelisberg » ont exercé une influence décisive, non seulement en orientant l'activité de l'ICCJ dans une perspective œcuménique, mais aussi en suscitant dans les Églises une grande ouverture au peuple juif, à son histoire et à sa tradition spirituelle.

L'œcuménisme et le dialogue avec les juifs sont devenus aussi des points significatifs du programme d'aggiornamento que le pape Jean XXIII confia au concile Vatican II ; il trouva son expression dans le décret *Unitatis Redintegratio* et dans la déclaration *Nostra Aetate*. Le magistère de Jean-Paul II et certains de ses gestes significatifs, de la visite à la synagogue de Rome jusqu'à l'établissement de relations diplomatiques entre le Saint-Siège et l'État d'Israël, ont permis de faire de grands pas dans la direction souhaitée par Martin Buber pour le dépassement de la fracture entre les « deux genres de foi », et vers la reconnaissance de la vocation commune du peuple de Dieu « en tant qu'Israël et en tant qu'Église [1] ».

Plusieurs fois le pape a élevé la voix pour indiquer à l'Église le chemin de la *teshuvah*, la conversion et la réconciliation entre l'Église et le peuple juif, reconnaissant les torts et les discriminations infligées à ce peuple durant des siècles de culture chrétienne dominante.

Les cinq dimensions d'un grave devoir.

Devant les défis du monde contemporain, le devoir de servir Dieu « d'une seule épaule » (So 3, 9), travaillant ensemble pour

---

1. Voir K. BARTH, *Die kirchliche Dogmatik*, II/2.

la justice et la paix, constitue une œuvre de proportions immenses. Il s'agit en effet de collaborer avec Dieu en hommes libres pour restaurer dans le monde la seigneurie du Très-Haut.

Le Jubilé de l'an 2000 a lui aussi proposé à nouveau avec force le projet de rédemption que Dieu entend réaliser dans l'histoire, comme l'ont annoncé les prophètes d'Israël. La grande année sainte de la rédemption annoncée par Jésus consiste précisément dans l'effusion de l'Esprit du Seigneur : « L'Esprit du Seigneur est sur moi, car il m'a donné l'onction ; il m'a envoyé porter la bonne nouvelle aux pauvres, panser les cœurs meurtris, annoncer aux captifs la libération et aux prisonniers la délivrance, proclamer une année de grâce de la part du Seigneur » (Is 61, 1-2 ; So 2, 3). Le fait que Jésus ait proclamé l'année de grâce dans la synagogue de Nazareth n'est pas sans signification : il nous rappelle que nous, chrétiens, ne pouvons pas non plus prétendre redire le message évangélique en nous coupant de la Synagogue, de notre relation nécessaire et radicale avec Israël.

Je voudrais indiquer alors les cinq dimensions du grave devoir auquel nous sommes appelés.

Avant tout, l'amour d'Israël. L'amour pour le peuple premier-né de l'Alliance n'est pas optionnel pour les chrétiens, c'est un impératif théologique qui conditionne l'annonce du salut. Nous devons en même temps respecter l'identité de foi de la communauté d'Israël, en reconnaissant que le dessein mystérieux de salut, sur lequel nous sommes greffés, concerne toujours le peuple de l'Alliance mosaïque.

À cet égard, il faut reconnaître qu'il existe une asymétrie entre Israël et l'Église, asymétrie qui comprend une dimension théologique et aussi des conséquences et des implications historiques et éthiques. Mais n'est-ce pas, au fond, une icône visible de l'asymétrie de l'amour gratuit et prévenant de Dieu pour l'homme, un amour démesuré qui pardonne, partage, souffre avec tout homme humilié et offensé, avec la veuve, avec l'orphelin et l'étranger, et qui à travers ce partage veut la libération du mal pour tous ? L'amour passionné du Dieu Père se révèle d'abord pour Israël, et nous chrétiens pouvons en contempler le visage paternel et maternel en lisant, méditant et priant la Bible des juifs, que l'Église reçoit avec humilité et gratitude comme son premier livre sacré.

Outre la dimension spirituelle de notre lien profond avec Israël, il existe une deuxième dimension sur laquelle l'histoire et la responsabilité éthique se fondent. En particulier nous, chrétiens, devons éprouver une immense douleur pour les tragédies historiques qui se sont abattues sur le peuple juif, tant aimé du Père ; tragédies qui sont allées jusqu'à la tentative de destruction totale lors de la dernière guerre mondiale. Et cette conscience historique, qui engendre un sentiment de doulou-reuse solidarité, ne peut se relâcher tant que nous n'avons pas été jusqu'à l'humble confession de notre complicité, en répu-diant toute forme d'antisémitisme et en nous orientant sur le chemin de la *teshuvah*.

Une troisième dimension de notre rapport avec Israël noue l'histoire et le futur ultime du monde, dans la perspective de la réalisation plénière de la rédemption. L'action mystérieuse et puissante de Dieu sauveur continue à s'exercer dans l'histoire du peuple juif, aujourd'hui et dans l'avenir, parce que Dieu aime toujours ses enfants, aujourd'hui comme au commence-ment, dans la fidélité de l'Alliance avec eux jamais révoquée : par leur intermédiaire il fait acclamer son nom sur toute la terre, à eux il adresse aujourd'hui encore son appel. Avec eux, nous aussi attendons l'heure du dévoilement des cœurs, et avec eux nous sommes appelés à collaborer pour le bien de l'humanité.

Mais dans la responsabilité commune pour le salut du monde et de l'humanité, Israël et l'Église ne sont pas seuls : à l'occa-sion du témoignage universel de prière pour la paix, convoqué par le pape à Assise en 1986, des voix s'élevèrent, en profonde consonance avec Isaïe et l'Évangile. Le saint et sage boud-dhiste Shantideva (VIII\ :sup: siècle) priait ainsi : « Puissent tous ceux qui sont épuisés par le froid trouver la chaleur, et ceux qui sont oppressés par le chaud trouver la fraîcheur [...]. Puissent tous les animaux se libérer de la peur d'être dévorés les uns par les autres ; puissent les esprits affamés être heureux, les aveugles voir, les sourds entendre [...]. Puisse le nu trouver de quoi se couvrir, l'affamé de la nourriture [...]. Puissent tous ceux qui sont épouvantés n'avoir plus peur, et ceux qui sont enchaînés trouver la liberté [...] et puissent tous les hommes se montrer des amis les uns pour les autres. »

De même tonalité furent les accents de la prière hindouiste, tirée des *Upanishad*, les antiques méditations sur les Veda : « Confirmons notre engagement dans la construction de la justice et de la paix grâce aux efforts de toutes les religions du monde [...]. Que Dieu Tout-Puissant, l'ami de tous, soit favorable à notre paix. Puisse le Juge divin être pour nous le Donateur de la paix. »

Et nous connaissons aussi la plénitude de sens religieux et humain que le mot « paix » contient dans la tradition tant musulmane *(salam)* que juive *(shalom)*, qui lient paix et présence du Royaume de Dieu, paix et obéissance à la foi (islam), et font du souhait de paix l'expression quotidienne du salut entre frères dans la foi. Ces accents de foi et de profonde humanité, largement diffusés dans les textes sacrés des religions du monde, peuvent nous faire penser à ce « livre des peuples » dont parle la Bible (voir Ps 87, 6) : un livre céleste, dans lequel Dieu lui-même écrit, mais dont les pages trouvent aussi des échos dans les livres des peuples du monde.

Tout cela témoigne que les grandes traditions religieuses de l'humanité sont en mesure d'inspirer encore aujourd'hui la recherche et la construction des voies de la paix entre les hommes et, à mes yeux, le labeur tenace et prévoyant de l'ICCJ s'insère bien dans cette tension. On pourrait dire de cet engagement ce qu'exprimait Jean-Paul II au terme de la prière historique pour la paix à Assise : « Nous cherchons à voir là une anticipation de ce que Dieu voudrait que soit le développement historique de l'humanité : un voyage fraternel dans lequel nous nous accompagnons les uns les autres vers le but transcendant qu'il établit pour nous. »

Dans les accents universels de prière et de paix, il nous plaît de saisir un principe de floraison de la rédemption, une effusion pentecostale de l'esprit de Dieu, comme l'avait annoncé Joël : « Je répandrai mon Esprit sur toute chair » (Jl 3, 1 ; Ac 2, 17).

Certes, au cours de l'histoire de l'humanité, cette effusion de l'esprit s'est souvent réalisée dans des milieux laïques et profanes : pensons aux sublimes méditations des dialogues de Platon, à la sagesse enseignée par Confucius, à l'insatiable recherche de la perfection esthétique dans la musique et dans les arts, jusqu'aux découvertes et aux interrogations suscitées par la science contemporaine dans les universités et les académies, dans les laboratoires et les centres de recherche. La soif d'infini et de vérité a pris aussi les formes sublimes du mythe et du récit, en s'exprimant en des personnages immortels comme Ulysse ou Prométhée, symboles de tout homme assoiffé d'éternité et pèlerin de l'absolu. L'aventure humaine dans le monde et même l'admirable symphonie du cosmos peuvent être décrites dans l'image d'un chemin sans fin, d'une tension pérenne, d'un pèlerinage sacré de l'homme et du cosmos montant vers la perfection du beau et du saint, du juste et du vrai. La lumière de la sagesse de l'Orient, la science et la technologie raffinées de l'Occident s'intègrent mutuellement, sans jamais prétendre réaliser adéquatement l'aspiration suprême du cœur de l'homme.

Le futur : avertissements et espoirs.

Ce pèlerinage personnel, historique et cosmique, se déroule sur une crête entre deux abîmes opposés, soutenu dans son équilibre par le fil d'argent ténu de la liberté. D'un côté, il y a l'éclat, inextinguible et aveuglant, de la lumière pure et ardente qui dépasse toute parole humaine ; de l'autre, au contraire, on trouve les ténèbres de l'erreur, de la volonté de puissance qui peut aller jusqu'à se servir de la vérité la plus sacrée pour justifier toute violence.

Même le pèlerinage le plus saint risque donc de se transformer en un horrible massacre d'innocents, comme le martyre de la communauté juive en Europe durant les croisades, et on peut allumer des bûchers pour brûler les corps de pieux fidèles et les pages de livres vénérés.

Les livres les plus sacrés, dans notre tradition religieuse, mais aussi dans d'autres, ont été souvent l'objet d'une destruction injustifiée ou, à l'opposé, ont été instrumentalisés contre leur nature et utilisés pour justifier des actes de persécution et de violence, contraires à la dignité et à la liberté de la personne humaine ; pensons, en particulier, au rôle déterminant des traditions religieuses pour la promotion de la dignité féminine, ou à leur influence négative qui peut constituer un obstacle à la pleine parité des droits entre l'homme et la femme. Enfin, le dialogue peut devenir l'antichambre d'une impitoyable condamnation inquisitoriale, de la censure et de l'excommunication. Pour la crédibilité de l'Évangile offert à l'humanité durant le prochain millénaire, la façon dont nous chercherons à éviter des erreurs aussi graves et les préjugés du passé, ou à y porter remède, sera donc déterminante.

D'autre part, si nous tentions de marcher seuls dans le processus de purification de la mémoire historique, les résultats seraient probablement peu significatifs.

Ce chemin nous voit donc solidaires avec toute l'humanité : non seulement avec nos contemporains, mais avec les hommes des époques qui nous ont précédés et qui viendront après nous.

Il est alors d'autant plus important de promouvoir un véritable dialogue entre juifs et chrétiens, entre l'Église et le peuple juif, comme signe d'espérance vers une reprise du dialogue universel. Si nous regardons les grands progrès accomplis en ce domaine dans le bref espace d'un demi-siècle, le renversement des préjugés négatifs qui duraient depuis des millénaires, la nouvelle considération positive d'Israël en tant que peuple de Dieu toujours davantage affirmée par les chrétiens, nous nous sentons encouragés à presser le mouvement. Aujourd'hui, comme chrétiens, il nous semble pouvoir entrer dans le troisième millénaire avec une plus grande conscience des erreurs qui ont fait obstacle ou lourdement conditionné l'annonce fidèle de l'Évangile.

En l'an 2000, le pape a choisi de mettre parmi les objectifs principaux du jubilé celui d'un « sérieux examen de conscience » de toute l'Église [1] et celui d'un vigoureux accent œcuménique et interreligieux [2]. Du point de vue ecclésial, le pape voit dans le concile Vatican II la meilleure préparation au troisième millénaire, et sa lecture est en harmonie avec celle de Jean Baptiste Montini, futur pape Paul VI, qui voyait en Vatican II une introduction « à un autre concile futur, où l'on pourrait célébrer la fête de tous les chrétiens, enfin unis en un seul troupeau avec un seul pasteur [3] ». Autrement dit, un concile œcuménique au sens plénier, dans la ligne des sept premiers de l'Église indivise. Le geste de Paul VI dans la chapelle Sixtine, le 14 décembre 1975, lorsqu'il s'agenouilla pour baiser les pieds du métropolite Méliton, représentant du patriarche Demetrios de Constantinople, est une image particulièrement représentative : il n'existe aucune photo officielle d'une attitude qui devrait devenir celle de toute l'Église face à l'humanité, en commençant par le peuple d'Israël.

La prière, le silence, la pénitence sont les mâts qui peuvent soutenir la tente de notre pèlerinage, une tente que nous voulons ouvrir, comme notre cœur, à tous les hommes et femmes de bonne volonté.

Naturellement, la tente n'est que provisoire : le but ultime de notre pèlerinage, dont chaque jour est comme mille ans et chaque millénaire une modeste étape, demeure celui assigné par Dieu, qu'il nous prépare avec amour dans la Jérusalem réconciliée. Nous pouvons et nous voulons unir les cœurs et les voix dans la prière, pour que le pèlerinage de tous les peuples vers la sainte Sion s'accomplisse, dans l'expérience personnelle et communautaire. Et il nous est demandé de vivre le service de l'amour fraternel, dans lequel se réalise joyeusement le culte d'amour du Père « en esprit et en vérité », selon le chant du psalmiste :

---

1. JEAN-PAUL II, *Tertio millennio adveniente*, p. 35-37.
2. *Ibid.*, p. 53.
3. J. B. MONTINI, *Lettera pastorale all'arcidiocesi di Milano*, 22 février 1962.

Sa fondation sur les montagnes saintes,
le Seigneur la chérit,
préférant les portes de Sion
à toute demeure de Jacob.
Il parle de toi pour ta gloire,
cité de Dieu :
« Je compte Rahab et Babylone
parmi ceux qui me connaissent
voyez Tyr, la Philistie ou l'Éthiopie,
un tel y est né. »
Mais de Sion l'on dira :
« Tout homme y est né »
et celui qui l'affermit, c'est le Très-Haut.
Le Seigneur inscrit au registre des peuples :
« Un tel y est né »,
et les princes, comme les enfants,
Tous font en toi leur demeure.
(Ps 87).

Prière pour la paix

Ô Dieu notre Père, riche d'amour et de miséricorde, nous voulons te prier avec foi pour la paix, endoloris et humiliés que nous sommes à cause des épisodes de violence qui ont ensanglanté et ensanglantent Jérusalem, ville dont le nom évoque immédiatement le mystère de mort et de résurrection de ton Fils, de Jésus qui a donné sa vie pour réconcilier tous les hommes et toutes les femmes de ce monde avec toi, avec eux-mêmes, avec tous les frères. Cité sainte, ville de la rencontre, mais ville depuis toujours disputée, depuis toujours crucifiée et sur laquelle ton Fils, les prophètes et les saints ont invoqué la paix.

Nous voulons te prier avec foi pour la paix en tant de pays du monde, pour les nombreux foyers de lutte et de haine ; nous voulons te prier pour les agresseurs et pour les agressés, pour les tués et les tueurs, pour tous les enfants qui n'ont pu connaître le sourire et la joie de la paix.

Il est vrai, Seigneur, que nous-mêmes sommes responsables de la paix absente, et c'est pourquoi nous te supplions d'accueillir notre repentir affligé, de nous donner une volonté humble, forte, sincère, pour reconstruire dans notre vie personnelle et communautaire des rapports de vérité, de justice, de liberté, d'amour, de solidarité. Nous te confessons nos péchés personnels et sociaux : notre attachement au bien-être, nos égoïsmes, nos infidélités et trahisons au niveau familial, la paresse et le gâchis de nos énergies vitales pour des choses vaines, frivoles et dommageables, notre regard qui se détourne face aux misères de ceux qui sont proches ou qui viennent de loin. En vivant ainsi, peut-être n'avons-nous pas pensé que nous étions responsables de la destruction de cet édifice invisible qu'est la paix. La paix terrestre est le reflet de ta paix, que tu nous donnes et nous confies, elle naît de ton amour pour l'homme et de notre amour pour toi et pour tous nos frères.

Change notre cœur, Seigneur, car nous sommes les premiers à avoir besoin d'un cœur pacifique. Purifie-nous, par le mystère pascal de ton Fils, de tout ferment d'hostilité, d'esprit de parti, de parti pris ; purifie-nous de toute antipathie, de tout préjugé, de tout désir de dominer.

Fais-nous comprendre, ô Père, le sens profond d'une prière de paix vraie, d'une prière d'intercession et d'expiation semblable à celle de Jésus sur Jérusalem. Prière d'intercession qui nous rende capables de ne pas prendre position dans les conflits, mais d'entrer au cœur des situations incurables en devenant solidaires des deux parties en conflit, en priant pour l'une et pour l'autre. Nous voulons embrasser avec amour toutes les parties en cause, nous fiant seulement à ta puissance divine. Si nous prions pour que tu donnes la victoire à l'une ou à l'autre, tu n'écoutes pas cette prière-là ; si nous nous mettons à juger l'un ou l'autre, tu n'écoutes pas notre supplique.

Envoie ton Esprit-Saint sur nous pour nous convertir à toi ! N'imaginons pas que nous surmonterons nos inquiétudes intérieures, les rancœurs que nous portons envers tel ou tel peuple, si nous ne laissons un espace à l'Esprit de joie et de paix qui veut prier en nous avec des gémissements ineffables. C'est l'Esprit qui nous fait accueillir cette paix qui dépasse notre horizon et devient une décision ferme et sérieuse d'aimer tous nos frères, de façon que la flamme de la paix réside en nos cœurs et dans nos familles, dans nos communautés, et irradie mystérieusement sur le monde entier en poussant tous les hommes vers une pleine communion de paix. C'est l'Esprit qui nous aide à pénétrer dans la contemplation de ton Fils crucifié et mort sur la Croix pour faire de tous un seul peuple.

Et toi, Marie, Reine de la paix, intercède afin que le sourire de la paix resplendisse sur tous ces enfants dispersés à travers le monde, marqués par la violence et la guérilla ; veille sur ta terre, sur Jérusalem, suscite chez ses habitants des désirs profonds et constructifs de paix, des désirs de justice et de vérité. Nous te promettons de ne pas craindre les obstacles et les moments obscurs et difficiles, pourvu que toute l'humanité chemine dans la paix et dans la justice, afin que se réalise pleinement la parole du prophète Isaïe : « J'ai vu sa conduite, mais je le guérirai [...] Paix ! paix à qui est loin et à qui est proche, et je le guérirai. »

Glossaire

Alliance : le mot hébreu berit signifie « engagement », « pacte », « accord », « traité », « obligation ». Tous ces termes expriment le *lien* que Dieu établit avec Noé et avec toute l'humanité (Gn 9, 9-17), avec certaines personnes comme Abraham (Gn 15, 18) ou David (Ps 89, 4-5), avec le peuple d'Israël (Ex 19, 5-6), avec ceux qui croient en Christ (Mc 14, 24). Le terme grec *diatheke* a donné naissance au mot *testament* d'où découlent les expressions Ancien et Nouveau. Toute la Bible conte l'histoire de l'*alliance* de l'humanité avec Dieu.

Haggadah : litt. « récit ». Indique un genre littéraire qui consiste en une vaste production de récits, paraboles, proverbes, prières.

Halakhah : litt. « voie ». Les parties de la littérature rabbinique de nature légale, ainsi que les lois elles-mêmes tirées de la Torah écrite ou orale à travers les discussions rabbiniques.

Hassidisme : mouvement de réveil de la religiosité juive, de type mystique. L'expression la plus célèbre du hassidisme se manifesta au milieu du XVIIIe siècle dans les communautés d'Europe orientale : Israël Ben Eliezer, *alias* le Baal Shem Tov, en fut le plus grand représentant.

Ketuvim : litt. « écrits ». Troisième partie de la Bible hébraïque comprenant les hagiographes : Psaumes, Job, Proverbes, Ruth, Cantique des cantiques, Ecclésiaste (ou Qolehet), Lamentations, Esther, Daniel, Esdras-Néhémie, Chroniques.

Kippur : c'est « le grand jour de l'expiation » où, depuis la destruction du Temple de Jérusalem, on observe un jeûne sévère et on lit les invocations pour le pardon des péchés.

Meghillah : (pl. *meghillot*), « rouleau ». Traité de la *Mishnah* qui aborde la lecture du livre d'Esther pendant la fête de *Purim*, diverses lectures synagogales pour le *shabbat* ou pour d'autres festivités et jeûnes, et des règles pour l'entretien de la synagogue et des objets du culte. Au pluriel, désigne les cinq livres bibliques du Cantique des cantiques, de Ruth, des Lamentations, de Qohelet et d'Esther.

Messie : le terme hébraïque qui correspond au français *messie* signifie « oint à l'huile » et indique une personne qui se consacre à Dieu ou qui a été choisie par Dieu. Dans l'Ancien Testament sont oints à l'huile : les prophètes (1 R 19, 16), les prêtres (Lv 3, 4) et les rois (1 S 10, 1). Le peuple d'Israël attend encore aujourd'hui le *Messie Sauveur* annoncé par les prophètes et appelé à arracher le mal du monde. Les chrétiens croient en revanche que le Messie Sauveur est déjà venu en la personne de Jésus-Christ, mort pour effacer les péchés des hommes et ressuscité à une vie nouvelle. Le mot grec *Christos*, en effet, découle lui aussi du verbe *oindre* tout comme l'hébreu *messiah* (Mt 16, 15 ; Ac 2, 36).

Midrash : du verbe *darash*, « examiner ». Commentaires bibliques, à visée édifiante (*midrashim* homilétiques) ou juridique (*midrashim* juridiques), les premiers découlant des homélies synagogales, les seconds des académies rabbiniques. Les plus anciens remontent à l'époque talmudique, les plus récents au Moyen Âge.

Mishnah : litt. « répétition ». La codification de la *tradition* ou *Torah orale* mise au point par rabbi Juda le Saint au IIe-IIIe siècle pour soustraire cette tradition (transmise jusqu'alors sous des formes fixes, mais non écrites) au risque de se perdre. Elle est divisée en six ordres, contenant chacun divers traités, qui exposent les lois civiles et religieuses déduites de la Torah.

Nevi'im : deuxième partie de la Bible hébraïque qui rassemble les livres des Prophètes : antérieurs (Josué, Juges, 1 et 2 Samuel, 1 et 2 Rois) ; postérieurs (Isaïe, Jérémie, Ézéchiel, et les douze petits prophètes : Osée, Joël, Amos, Abdias, Jonas, Michée, Nahum, Habacuc, Sophonie, Aggée, Zacharie, Malachie).

Pirqé Avot : les « Chapitres des pères » dans lesquels Rabbi Jehuda (IIᵉ siècle) a rassemblé toute la sagesse des maîtres d'Israël qui l'ont précédé.

Séder : litt. « ordre ». Durant le *séder* pascal, on lit la *Haggadah de Pesach* (le « récit de Pâques »), on mange des pains azymes, des herbes amères, une friture à base de fruits, un œuf dur et autres aliments rituels et symboliques.

Shabbat : samedi. Jour de repos en mémoire du septième jour de la création, où Dieu lui-même se reposa. Il commence le vendredi soir, juste avant le coucher du soleil, et s'achève le samedi soir, avec l'apparition de la première étoile dans le ciel. Durant cet intervalle de temps, le juif pratiquant doit abandonner toutes ses occupations habituelles pour ne penser qu'à Dieu. Parmi les interdictions du *shabbat* (la législation rabbinique en indique trente-neuf) on compte la cuisine, le travail manuel, les voyages, l'écriture, l'échange d'argent, le transport d'objets à l'extérieur, etc.

Shavu'ot : litt. « semaines ». Festivité printanière qui, à l'origine, fêtait les prémices et la moisson. Toutes les sept semaines après *Pesah* elle commémore le jour où la Torah fut donnée au peuple juif.

Shekinah : la Gloire divine dans son aspect immanent, la Présence divine qui suit Israël partout, jusqu'en exil. Dans la mystique juive, elle indique aussi le côté féminin de Dieu.

Shema' : la profession de foi juive formée de trois sections bibliques (Deutéronome 6, 4-9 ; 11, 13-21 ; Nombres 15, 37-41) et qui s'ouvre sur ces mots : « *Shema' Yisra'el* », « Écoute, Israël ». On le récite deux fois par jour ; le premier verset représente la dernière prière avant de s'endormir et à l'heure de la mort.

Talmud : litt. « étude ». L'ensemble de discussions et d'interprétations relatives à la *Mishnah*, issu des académies rabbiniques de Jérusalem et de Babylone. Le *Talmud* se compose donc de la *Mishnah* et de ses commentaires, appelés *Gemarah*, et il existe en deux rédactions : le *Talmud palestinien*, et le *Talmud babylonien*. La *Gemarah* rapporte les discussions rabbiniques en citant toujours les différents maîtres, et contient une part de *halakhah* et une part de *haggadah*. La rédaction du *Talmud* s'étend du IVe au VIe siècle de notre ère (le *Talmud palestinien* est achevé environ un siècle plus tôt) et ne dispose pas la matière dans un ordre systématique ou encyclopédique, mais selon les traités *mishnaïques*, en conservant toutes les digressions et la fluidité des leçons académiques.

Teshuvah : du verbe hébreu *shuv*, qui signifie « inversion », « se mouvoir dans la direction opposée ». Le terme indique le « retour à Dieu », la « pénitence », la « conversion ».

Torah : la Bible hébraïque ou *Torah écrite* (accompagnée de la *Torah orale*, qui joue le même rôle que la *Tradition* catholique) appelée aussi *TaNaK* parce qu'elle est l'ensemble composé de la *Torah*, qui au sens restreint et précis correspond au Pentateuque chrétien, des *Nevihim* et des *Ketuvim*.

Note bibliographique

I. Pèlerin aux racines de la foi

« De Ur à Jérusalem : peines et joies d'un évêque en route vers la ville », rapport à la Vᵉ Chaire des non-croyants, 16 novembre 1995, dans *Repartire da Dio*, Bologne EDB, 1996.

« Mon chemin vers Jérusalem », intervention à la rencontre *Israël radice santa* à l'occasion de la Journée du judaïsme, 17 janvier 2001, dans *Ricominciare dalla Parola*, Bologne, Milan, EDB, Centro Ambrosiano, 2002.

« Pèlerinages en Terre sainte », dans *Vigilare*, Bologne, EDB, 1993 ; *Guardando al futuro*, Bologne, EDB, 1995.

II. Jérusalem, ville entre terre et ciel.

« Marcher ensemble dans la foi », message pour la journée de l'intronisation dans l'archidiocèse de Milan, 10 février 1980, dans *La parola che si fa chiesa*, Bologne, EDB, 1981.

« Jérusalem : histoire, mystère, prophétie », dans *Atti della XXVI settimana biblica, Roma, 15-19 settembre 1980*, Brescia, Paideia, 1982.

« La Parole dans la ville », homélie pour le dimanche des Rameaux, 4 avril 1982, dans *Un popolo, una terra, una chiesa*, Bologne, EDB, 1983.

« Jérusalem », lecture œcuménique de la Parole, 9-10 septembre

1994, dans *Aa. Vv., Gerusalemme patria di tutti*, Bologne, EDB, 1995.

« La singularité de l'élection d'Israël », tiré de *Cammini laicali*, Milan-Casale Monferrato, Centro Ambrosiano-Piemme, 1992 ; *Due pellegrini per la giustizia*, Milan-Casale Monferrato, Centro Ambrosiano-Piemme, 1992.

III. Les relations judéo-chrétiennes.

« Judaïsme et christianisme : histoire et théologie », rapport au colloque international de l'International Council of Christian and Jews, 9 juillet 1984, dans *Città senza mura*, Bologne, EDB, 1984.

« Les voies du dialogue », tiré de *Cristianesimo ed ebraismo*, article publié dans *Explorations*, revue du Princeton Theological Seminary, mai 1987, puis dans *Interiorità e futuro*, Bologne, EDB, 1988.

« Le chemin qui nous attend », intervention pour le XXVe anniversaire de la déclaration *Nostra aetate*, 6 octobre 1990, dans *Comunicare nella chiesa e nella società*, Bologne, EDB, 1991.

« Le peuple, l'exil, le chemin », rapport à la rencontre de Rimini, 20 août 1994, dans *Guardando al futuro*.

« La route de la rencontre fraternelle avec Israël passe par Auschwitz », message au congrès *Educare dopo Auschwitz*, 24 novembre 1994, dans *Guardando al futuro*.

IV. Paix sur les murs de la ville sainte.

« Un cri d'intercession », homélie de la veillée de prière, 29 janvier 1991, dans *Cammini di libertà*, Bologne, EDB, 1992.

« Les pleurs de Jésus sur la ville », méditation aux écoles pour la formation à l'engagement social et politique, 4 juin 1988, dans *Etica, politica, conversione*, Bologne, EDB, 1989.

« Le leadership religieux dans la société séculière », rapport à la conférence internationale, 1er février 1994, dans *Guardando al futuro*.

« Espérance de marcher ensemble vers la plénitude de la paix », homélie de la veillée œcuménique pour la paix, 21 mai 1994, dans *Guardando al futuro*.

« La foi face au monde d'aujourd'hui », extrait de l'interview par Arrigo Levi durant la réunion *Uomini e Religioni*, 24 octobre 1995, dans *Ripartire da Dio*.

« Travailler ensemble pour la justice et la paix », rapport à l'International Council of Christians and Jews, 18 janvier 1999, dans *Coraggio, non temete !*, Milan, Centro Ambrosiano, 2000.

« Prière pour la paix », commandée et publiée par *L'Eco di Bergamo*, 17 octobre 1996, dans *Parlare al cuore*, Milan, Centro Ambrosiano, Bologne, EDB, 1997.

Table des matières

Composition : Facompo, Lisieux

Achevé d'imprimer en mai 2004
dans les ateliers de Normandie Roto Impression s.a.s.
61250 Lonrai
Dépôt légal : mai 2004
Numéro d'édition : 13217
N° d'impression : 041196

Imprimé en France